Puerto Apache

JUAN MARTINI

Puerto Apache

traduit de l'espagnol (Argentine)
par Julie Alfonsi et Aurélie Bartolo

ASPHALTE

Asphalte éditions
Cour Alsace-Lorraine
67 rue de Reuilly
75012 Paris
www.asphalte-editions.com

L'édition originale de cet ouvrage est parue chez Editorial Sudamericana S.A. en 2002, sous le titre : *Puerto Apache*.

ISBN : 978-2-918767-54-1

Ouvrage édité dans le cadre du programme SUR d'aide à la traduction d'ouvrages d'auteurs argentins, du ministère des Relations extérieures, du Commerce international et du Culte de la République Argentine.

Obra editada en el marco del Programa SUR de Apoyo a las Traducciones del Ministerio de Relaciones Exteriores y Culto de la República Argentina.

Cúper

« JE suis le Rat », je lui dis.

Le type me croit pas. Il m'envoie une mandale, j'essaie d'esquiver mais il m'atteint en pleine face, il me défonce l'arcade. Je ne vois plus rien de l'œil gauche. Que du sang. J'ai les mains sur les genoux, je tiens comme je peux sur cette petite chaise. Mon couteau est dans ma poche arrière.

« Espèce de crétin. Dis-moi la vérité et tu sauves ta peau. »

Le type se lèche les articulations. Il s'est fait mal aux doigts.

« J'te jure, je lui dis. Je suis le Rat. »

Ce mec est un con. Pourquoi je lui mentirais ? Je suis déjà mort. J'ai pas de raison de lui mentir. De toute façon, il m'en colle une autre. Je ne bouge pas. Je veux qu'il s'explose la main. Il m'éclate l'œil. Le même. Maintenant, je ne vois même plus le sang. Le type s'est broyé la main. Les os, ça fait du bruit quand ça casse. C'est comme ça. Les petits os de la main, ils font crac et ils cassent.

La haine le rend fou. Il m'attrape par les cheveux, me secoue la tête et me crache au visage. Puis il me lâche, il recule d'un pas, il souffle et il me dit :

« Sale race de bouffeurs de chats. »

Je rigole.

« C'est quoi, ces petits os en sucre ? T'as de l'ostéoporose ? »

Les deux types qui l'accompagnent se marrent aussi. J'ai ma petite culture. Une de mes ex m'a appris à écrire. Savoir écrire, ça n'est pas rien. S'il me traite de bouffeur de chats, c'est à cause de Rosario[1]. Je fais comme si de rien n'était. Je ne lui donne pas ce plaisir. Un jour, je vais écrire ce que je pense de tout ça. Vous allez voir. Le type s'approche à nouveau de moi et me gifle sec du revers de la main gauche. Il m'explose la tronche.

J'ai envie de lui dire : écoute, mec, moi je suis un rat d'égout. Je vis dans les sous-sols, je bouffe des ordures, je sors dans la rue pour chercher les emmerdes. Tu comprends, mec ? Nous, les rats, c'est la rage qui nous sauve. C'est comme ça. Y'a pas de secret. La vie est dure, toujours. La vie des bourges, avec leur pognon, leurs palaces, leurs chauffeurs, leurs bimbos et leur coke à gogo, ouais, elle est dure. Mais la vie des rats aussi. Tu vas pleurer pour ça ? Non, mec. La seule chose à faire, c'est sauter. Tu comprends ? La corde se casse, le radeau coule, l'échafaudage s'effondre… et t'es foutu. Si tu sautes pas, t'es foutu. Y'a rien d'autre à faire. C'est le seul acte qui a du sens dans la vie. Mon vieux, c'était un mac. Il faisait trimer quatre filles, quatre petites merdeuses de quinze ans, à Pompeya. Il les matait, il leur apprenait les combines et il les mettait dans la rue. Elles devaient se faire chacune cent pesos par nuit, toutes les nuits. Par tous les moyens. Sinon, elles trinquaient. Quand une des filles rentrait sans le fric, elle trinquait. Ils la battaient. Mon vieux, un de ses amis, n'importe qui. Elle disait « j'ai pas fait assez », et alors ils arrêtaient de sniffer et de jouer, et y'en avait un qui s'y collait. Une semaine plus tard, les marques commençaient à disparaître. Dix jours plus tard, la fille était de nouveau dans la rue. Et alors, c'est pas cent pesos qu'elle rapportait, mec, mais cent cinquante, parfois même deux cents. Elle leur rapportait le blé, mais des fois ça ne s'arrêtait pas là, elle devait encore prouver sa bonne volonté en écartant les jambes

---

1. Allusion à un fait de société très médiatisé en Argentine, suite à la diffusion en 1996 d'un reportage montrant les habitants d'un bidonville de Rosario en train de chasser et de cuisiner des chats. (Toutes les notes sont des traductrices.)

par exemple, et elle faisait ça avec la docilité que demandent les comptes justes, la fatigue du petit jour, l'exercice du métier. Finalement, elle allait se coucher contente, juste avant le lever du soleil, la repentie. Contente, mec, crois-moi. Rien de tel que le devoir accompli. Et les filles le savent. Une des ces quatre gamines, c'était ma mère. Elle devait avoir à peu près dix-sept ans quand elle est tombée enceinte. Incroyable. Enceinte, à cet âge. Je crois que c'est à ce moment-là qu'ils ont dû l'hospitaliser. Mon vieux a failli la tuer.

« Elle s'est fait renverser par une charrette, il a raconté aux urgences de l'hôpital. Un *cartonero*[1] lui est passé dessus avec son cheval, sa charrette et tout le bazar. Regardez dans quel état il me l'a mise », il paraît que mon vieux a dit.

Le petit interne de l'hôpital a d'abord regardé ma mère, puis mon père, et finalement il n'a fait aucun commentaire. Il a décidé de la garder, et ils l'ont soignée. Deux semaines plus tard, elle est rentrée à la maison. Elle était toujours enceinte. C'est pour ça que je suis né. On raconte que ma mère n'était pas bien maligne, qu'elle était juste bonne à prendre des coups, ce genre de conneries. Que c'est pour ça qu'elle m'aimait. Je sais pas quoi en penser. C'est compliqué. On fait beaucoup de philosophie, mec. Mais en fait, on y comprend rien.

« Crache le morceau, ducon, et tu sauves ta peau. »

Comme si c'était si facile de lui dire la vérité. Y'en a qui manquent pas d'air.

Un filet de salive dégouline de ses lèvres. Il continue à suçoter ses doigts cassés. Je me rends compte que si je trouve pas quelque chose à leur raconter, n'importe quoi, ils vont me réduire en purée, comme un cafard.

Mais je manque d'inspiration.

---

1. Biffin qui vit de la collecte et de la vente de matériaux recyclables, et plus particulièrement du carton. Les *cartoneros* se sont multipliés en Argentine depuis les années 2000 : un train spécial leur permet de transporter leurs chargements du centre-ville jusqu'aux banlieues, où ils habitent.

D'un coup, je pense à Cúper. Comme on se souvient d'un frère mort, de quelqu'un de l'autre côté, ou d'une autre vie, je sais pas comment expliquer.

Cúper, c'est mon ami. De temps en temps, on traîne ensemble dans la rue. À ces moments-là, il aime que je lui raconte mes histoires. Voilà comment tout a commencé.

« C'est à Pompeya, Cúper, c'est à Pompeya que tout a commencé, je lui dis. Les putes ne rapportaient plus rien, la coke manquait, les caisses étaient vides et les flics étaient de plus en plus gourmands. On était sérieusement dans la merde. Ma vieille était de Rosario. Elle vit à Rosario, maintenant. Je suis allé la voir, il y a longtemps. Une cousine éloignée, je crois, s'occupait un peu d'elle. Elle est malade, elle n'a jamais voulu me dire ce qu'elle avait. Ma cousine non plus. Je dis que c'est ma cousine parce que je crois que c'est la fille d'une cousine de ma mère. Je comprends jamais rien aux liens de parenté. Alors je me suis tapé ma cousine, qui était maîtresse d'école dans un bidonville, et ma cousine, parce qu'elle s'emmerdait j'imagine, m'a appris à écrire. C'est comme ça, la vie. Personne y comprend rien. Moi, je suis pas de Rosario. Je suis le Rat. »

Et Cúper me dit :

« C'est clair, mec. »

J'avale du sang, du sang de ma propre bouche. Je n'ai plus qu'un seul œil qui s'ouvre. Je souffre atrocement. Maintenant, le plus menaçant des trois types se plante devant moi. L'autre va vers le fond, il s'adosse contre un des poteaux qui soutiennent les murs de tôle, il allume une clope et regarde sa main enflée.

« Il fait de l'ostéoporose, celui-là », je dis malgré tout.

Celui qui se tient à présent devant moi se frotte les cuisses, ou essuie la sueur de ses mains sur son pantalon. Il ricane, je le fais marrer. Je le fais marrer avec mes vannes stupides et désespérées. Mais je sais que si j'arrive pas à lui faire avaler un bobard, si je lui mets pas quelque chose sous la dent ou quelques grammes dans les narines, il me démolit. J'en suis certain. S'il y a bien une chose qui me hérisse les poils, c'est découvrir qu'il n'y a pas d'issue possible.

« Allez, ma poule, il me dit. Fini de rigoler. »

Ma poule, qu'il m'appelle.

Cúper fait une drôle de tête quand je lui raconte des histoires. Des fois, sans qu'il s'en aperçoive, j'observe son expression pendant qu'il m'écoute. Il devient quelqu'un d'autre. On dirait qu'il change de visage, c'est dur à expliquer avec des mots. Cúper est moche comme un pou, mais dans ces moments-là, on dirait, je sais pas... un prince. Un prince un peu bête peut-être, mais un prince quand même. Je suis très sérieux. Ça n'a rien à voir avec le fait que Cúper soit mon ami. Je le dirais dans tous les cas, ami ou pas. Je mens presque jamais, mais presque personne me croit. C'est ça, le problème. C'est pour ça que si j'invente pas rapidement quelque chose, ces trois-là vont me défoncer. Ils vont m'exploser la gueule pour la simple raison que j'ai rien à leur dire. Pas à eux, en tout cas. Si le Pélican était là, en face de moi, ce serait différent. C'est comme ça. Moi, au Pélican, j'aurais deux ou trois mots à lui dire. Que les choses soient claires. Mais non. Le Pélican n'est pas là : il n'y a que ces trois types. Et eux, ils ne panent rien. Dans ce monde, il y a des gens pour qui les mots ont un sens. Et d'autres, pas. Au fond, c'est ça, le secret de la politique.

« Ferme la bouche », je lui dis.

Et Cúper ferme la bouche.

C'est une chose qu'il m'écoute attentivement, c'en est une autre qu'il se mette à baver d'un coup comme si j'étais une idole ou, je sais pas, un demi-dieu. J'y suis depuis le premier soir, je raconte à Cúper. On était quinze ou vingt, allez, vingt-cinq à tout casser. C'est mon père qui donnait les ordres. On a pété les verrous et les cadenas des grilles, et on est entrés. Il pleuvait. Une de ces pluies fines mais fortes qui te trempent jusqu'à l'os comme on en a ici, à Buenos Aires. On y voyait que dalle. On s'est tapé les mauvaises herbes, les trous, les ronces. Toti s'est fait mordre par une vipère.

J'te jure. Il a mis le pied dans un trou, un nid, je sais pas, et il s'est fait mordre. Après, il a eu de la fièvre et il racontait des conneries. Mais on avait réussi. Mon vieux et les autres de la Première Junte[1] ont surveillé l'entrée toute la nuit. Ils ont inspecté chaque camion, chaque camionnette et chaque bagnole qui rentrait. Ils ont délimité le périmètre, ils ont distribué les emplacements, ils ont mis les choses en ordre.

« Ici, c'est nous les chefs », a dit mon vieux.

Et il a montré du doigt les deux autres types qui commandaient avec lui.

Il commençait à faire jour, au-delà de l'horizon de la Réserve, malgré les nuages bas et cette pluie de mai qui ne s'arrête jamais.

« C'est la Première Junte qui commande », a dit Garmendia.

À cette époque, Garmendia avait déjà deux dents en moins. Maintenant, il lui en manque plein d'autres. C'est à cause de sa maladie. Le nom est resté. La Première Junte, qu'on les appelait. Et on les appelle toujours comme ça.

« C'est vrai », dit Cúper.

Aujourd'hui, la Première Junte, les gens l'appellent aussi le Gouvernement. Ça n'a pas d'importance. Ici, on invente des noms tout le temps. Ce qui compte, c'est que ce sont eux qui commandent depuis le premier soir. Moi, je préfère quand on les appelle la Première Junte. C'est plus logique, non ?

« Donc cette nuit-là, tu y étais. »

Je regarde Cúper fixement.

« Oui, je lui dis. J'y étais. »

Le type pose sa godasse sur le bord de la chaise, entre mes jambes. Je vois la crasse collée à la semelle en caoutchouc. Celui-là viendra pas me faire croire qu'on lui cire ses pompes. Faut savoir observer, dans ce monde.

« Crache le morceau, ma poule », me dit le type.

---

1. Nom de l'assemblée du premier gouvernement autonome argentin, instaurée à la suite de la révolution de mai 1810, après la destitution du vice-roi espagnol.

Il pousse la chaise et je tombe à la renverse, j'atterris sur une caisse pleine de boulons rouillés et je bouffe un peu de terre. Humide, la terre. Alors le type m'écrase la tronche avec sa godasse, il frotte sa semelle en caoutchouc, sa semelle recouverte de crasse contre ma face, et je dois avouer que ça me dégoûte. J'ai l'estomac un peu délicat. C'est pour ça que je fais ce que je ne dois pas faire : une erreur.

« Crache le morceau, ma poule. »

Qu'il me dit.

Et il essuie le talon de sa chaussure sur ma bouche éclatée.

Alors je cherche mon couteau. À l'aveuglette. Sans réfléchir. Par pur réflexe. Je tâte mes poches. Je fais une erreur. Je veux lui crever les yeux avec ma lame. Lui taillader le nez. Comme ce truand dans un film que j'ai vu chez la cousine de ma vieille, à Rosario. Le mec plantait son couteau dans le nez de Jack Nicholson et le tranchait net. Quand on réfléchit pas, on a plus de chance de réussir. Même si le plus souvent, on perd.

Le type m'arrache le couteau et me flanque un coup de pied dans les reins. Il ouvre et il ferme le couteau, deux ou trois fois, et il le met dans sa poche. Il allume une cigarette. Puis, tranquillement, sans agressivité, comme si de rien n'était, il répète :

« Allez, ma poule. Accouche. »

Il approche le bout de sa clope de mon œil ouvert. Je suppose qu'à cet instant, mon regard ne ressemble pas à celui d'un rat, mais plutôt à celui d'un cheval terrorisé. Il est pas grand, le mec. Et un peu gros. Un de ces spécimens aux genoux qui se touchent, avec les jambes qui font comme un x. Je comprends son problème : il est complexé par son poids. Pas par sa taille. Ça, il s'en fout. En tout cas, il s'en foutrait s'il était mince. Peut-être qu'il s'imagine qu'il aurait pu être jockey, ou boxeur, qui sait. Poids mouche ou poids coq, un truc du genre. Les mecs petits ont parfois des idées bizarres dans la tête. Y'en a qui voudraient être différents. Être quelqu'un d'autre, pas un larbin comme celui-ci par exemple. C'est une question de taille et de volume, je me dis. J'ai des idées comme ça. Je sais pas d'où je les sors ni comment elles me viennent. Peut-être des films que j'ai vus. J'ai la tête pleine de formules toutes faites. De formules que je comprends pas. Comme dans ces films avec des professeurs, des scientifiques ou des enfants surdoués qui remplissent tout plein de tableaux. Moi, je suis pas un enfant surdoué. Je sais rien du tout. Mais je vais écrire quelque chose. D'abord, je vais écrire des graffitis. Des pancartes. Des inscriptions sur les murs. Voilà ce que je vais écrire. Après, j'écrirai ce que je pense de tout ça.

Je me redresse. Je prends appui sur mes coudes, les mains enfoncées dans la boue, puis sur mes genoux. Je lève une jambe. Je pose un pied par terre. Un filet de salive et de sang coule de ma bouche. J'essaie de me lever. Je suis encore à moitié accroupi : je n'arrive pas tout à fait à me mettre debout. Quelques secondes passent. J'ai peur de retomber. J'imagine que dehors il commence à faire jour et qu'un peu plus loin, dans le ciel nuageux, le soleil rayonne comme une tache froide, un peu jaunâtre, un peu rougeâtre, un peu violette.

Sans rien dire, le Nabot fume et me regarde fixement : il est tellement près que la puanteur de sa bouche cariée aux relents d'oignon me fout la gerbe. Puis, sans rien dire, il me flanque un coup de genou. Je m'écroule sous la douleur qui explose comme un cocktail Molotov.

Il y a un silence, et dehors on entend des gouttes qui tombent de la gouttière en tôle du hangar, dans une flaque d'eau. Une goutte, puis une autre, une pause, un silence, une attente, puis deux ou trois gouttes de plus, les unes après les autres, et ainsi de suite.

Peu à peu, je reprends mon souffle, la douleur des aiguilles qui me transpercent les tempes s'atténue, et j'arrive à dire, sans avoir assez de force pour lever la tête :

« Ça sert à rien. »

Je ne vois pas le Nabot, je ne vois pas non plus le type aux doigts cassés, ni le troisième, celui qui n'a pas encore montré les dents, qui ne m'a pas encore touché, celui qui est assis sur la table du fond, les pieds croisés dans le vide et les mains agrippées au bord. Je ne vois rien. Je dis :

« Ça sert à rien, chef. »

On entend encore trois ou quatre gouttes tomber dans la flaque d'eau dehors, mais j'ai l'impression qu'il s'est arrêté de pleuvoir.

« Vous allez me tuer. Vous êtes en train de me tuer. Et tout ça pour rien. »

Je dis :

« Je suis le Rat. C'est la vérité. Mais j'ai rien fait. Je dois rien à personne. Je sais pas ce que vous voulez que je crache. Dis-moi ce que vous cherchez et je raconte un truc. Je peux inventer n'importe quelle histoire. C'est ça ou je suis mort, tu comprends ? Je dois sauver ma peau, chef. Mais je sais pas ce que vous me voulez. »

Le Nabot me regarde.

Je ne l'attendris pas, il ne bouge pas d'un poil, il croit que j'invente n'importe quoi pour me tirer d'affaire, c'est sûr. Et il n'a pas complètement tort. Mais lui aussi, il est paumé. Il sait pas quoi faire. En tout cas, il sait pas quoi faire, là, maintenant. C'est pour ça que je me dis que si ça se trouve, on lui a même pas demandé de me tuer. C'est juste une idée, un espoir. Ça peut arriver que des mecs te fassent la peau pour bien moins que ça, juste parce qu'ils sont allés trop loin. C'est ça qui est incroyable. Que des mecs te réduisent en bouillie sans raison. Ou sans connaître la raison. Ou parce qu'ils perdent le contrôle, ces tocards. Ils commencent par te foutre des coups. Ils y prennent goût. Ils s'acharnent. Et parfois ils n'arrivent pas à s'arrêter, alors ils dépassent les bornes. Ça n'a aucun sens.

Et ça, c'est une loi de la vie.

Puerto Apache n'est pas un bidonville. C'est pas un tas de tôle et de crasse. Que ce soit clair. Ici on n'est pas des crève-la-dalle, des racailles, des voyous, des voleurs, des assassins… Puerto Apache, c'est un lieu de vie. Et il y a beaucoup de gens bien, à

Puerto Apache. Si quelqu'un vit ici, c'est parce qu'il vit ici, pas parce qu'il ne mérite pas de vivre ailleurs. Les imbéciles, les journaux, la télé, même la police fédérale et ceux de la préfecture, personne n'y pige rien. C'est vrai que la réalité, c'est à n'y rien comprendre.

Puerto Apache, c'est une zone d'habitation qui longe l'avenue Costanera depuis le Yacht Club jusqu'à l'avenue Corrientes, et qui s'étend, côté fleuve, plus ou moins jusqu'à la balise lumineuse qu'il y a sur la pointe de la digue extérieure. C'est-à-dire en face des vieux docks du port de Buenos Aires. J'écris correctement « Yacht Club » parce que j'ai quand même appris quelques trucs ces dernières années, et parce que j'aime bien savoir écrire certains mots, même dans d'autres langues. Pas en allemand. En allemand, par exemple, je comprends rien.

On est arrivés là un soir de l'automne 2000. On a fait sauter les cadenas, les grilles, et on s'est installés. On était pas nombreux, juste un petit groupe, à peine une vingtaine je crois. C'est nous qui avions monté le coup. Quelqu'un a eu l'idée, et on a monté le coup. Ça n'a pas été difficile. Le seul projet que les politiques, les entrepreneurs et les mafieux avaient pour la Réserve, c'était de la brûler. Ils voulaient tous la brûler, la déclarer inutile, stérile, comme on dit, la vider de sa faune pour faire du business. Faire du fric. Des tonnes de fric. Y mettre des banques, des restaurants, des casinos clandestins, des hôtels, des bordels, ce genre d'affaires. Cette ville ne peut rien imaginer d'autre. Ici, pour transformer le plomb en or, on brûle des arbustes et on emmerde les canards. Détruire des réserves, des parcs nationaux, des terrains publics... Rien de légal. Alors on a pensé que c'était pas un mauvais endroit pour vivre. Nous, on a rien brûlé, on a pas fait fuir les animaux, ni les insectes. Nous, on aime bien les moustiques. On pourrait presque dire que ça nous plaît quand ils nous piquent et qu'on se paye des boutons sur les bras et sur les chevilles. La seule chose qu'on fait contre les moustiques, c'est des feux pour qu'ils dansent dans la fumée et qu'ils nous laissent tranquilles un moment. Il n'y a rien de poétique dans ce que je dis. C'est la réalité. Ici, il s'en passe des choses, mais personne tue jamais un moustique.

À Puerto Apache il y a, je sais pas, vingt ou trente blocs. On a tracé les rues, on a tiré au sort, on a donné à chacun sa parcelle, mais on a rien brûlé. S'il y avait des arbustes ou des plantes à déplacer, on les a déplacés. On est pas venus ici pour tout saccager. On est venus ici parce que les gens ont besoin d'un endroit pour vivre. Nous, on est réglos. On a nos embrouilles, comme tout le monde, parce qu'on a pas le choix. Mais on est réglos.

Garmendia aime bien dire qu'on est arrivés ici au siècle dernier. C'est un sacré numéro, le vieux. Il va bientôt y passer, à cause de sa maladie, mais il a pas perdu son sens de l'humour. Et sa blague, elle cache une idée, bien sûr. Il dit qu'il faut faire valoir nos droits acquis. Il le dit comme ça. Avec ces mots-là. Je sais pas d'où il les sort, parce qu'il est con comme un balai. Mais il dit qu'il faut pas oublier qu'on a des droits acquis. On n'est pas des intrus, on n'est pas des squatteurs. Ici, c'est chez nous. On est des êtres humains. Et ça serait bien qu'on ait des droits acquis pour de vrai. Mais je crois qu'on en a pas. Personne ne va rien nous reconnaître, le moment venu. Et là, ça va être le bordel. Personne nous fera partir d'ici. En tout cas, pas vivants. Peut-être qu'on crèvera de faim. Mais on crèvera pas dans la rue. Plus maintenant. Et ça, ils le savent bien. Les ministres, les secrétaires, la police fédérale, ils le savent tous, ils le voient venir. « Ces parasites, on les fera pas sortir vivants », comme ils doivent raconter aux banques, aux agences immobilières, à tous ceux qui font des comptes avant l'heure.

C'est Cúper qui a dit ça le mieux, une nuit qu'on zonait sur l'avenue Corrientes, lui et moi. Y'a des jours où on pouvait pas se permettre de rentrer à la maison les mains vides, et dans les bars de Corrientes il y a toujours deux ou trois gonzesses survoltées qui se racontent leurs vies, avec leurs manteaux, leurs courses ou leurs sacs à main accrochés aux dossiers de leurs chaises. Sur la table, elles gardent en cas de besoin, dans cet ordre : leur téléphone portable, leur paquet de clopes et des mouchoirs en papier, au cas où elles verseraient une larmichette en parlant avec leurs copines. Elles font pas gaffe à leur sac à main. C'est pour ça que c'était facile d'en piquer un sans se faire repérer et de gagner sa journée, voire sa semaine avec beaucoup de chance. Sans méchanceté. Les papiers et les cartes, Cúper et moi, on y touchait pas. Si on trouvait un agenda ou autre chose, on appelait la nana le lendemain, on envoyait un pote chauffeur de taxi, il lui rendait son sac et la fille lui donnait même quelques pesos en plus pour le service. Elles sont pas mesquines, les filles qui perdent leur sac avenue Corrientes. D'ailleurs, Cúper, il aimerait bien se marier avec une fille comme ça. Il me l'a avoué, un soir où il était bourré. Le vin lui sortait par les yeux. Mais je pense qu'il était sincère. Et à d'autres moments, il dit des choses comme :

« Nous sommes un problème du XXIe siècle. »

Il a sorti cette phrase un soir, il n'y a pas si longtemps en fait, alors qu'on traînait dans les bars de Corrientes, ces bars pleins d'artistes sans public et de filles à la recherche d'une véritable opportunité dans la vie.

J'en suis resté sur le cul. Quel mec, ce Cúper. La clairvoyance incarnée. La réalité en sept mots. Un slogan. C'est une phrase comme ça que j'aimerais trouver, pour l'écrire sur les murs.

Maintenant, à l'entrée ouest de Puerto Apache, il y a un panneau avec la phrase de Cúper. La Première Junte a du flair : elle a compris que l'intellectuel avait mis dans le mille. Point barre. Il y a quelque temps, on a fabriqué un énorme panneau, on l'a fixé sur des poteaux, comme ça les cons de bourges qui longent le fleuve dans leurs Kawasaki, leurs BMW ou leurs 4×4 ne peuvent pas rater la définition de Puerto Apache que Cúper a inventée :

Nous sommes un problème du XXIe siècle.

On s'est installés à l'automne 2000. Je n'arrive toujours pas à comprendre si c'était la fin du siècle dernier ou le début du suivant.

Mais aujourd'hui, quoi qu'il en soit, on est déjà dans le siècle suivant. On a tourné la page. Cúper et moi, on doit bouffer, comme tout le monde. On essaie de gagner notre vie, comme presque tout le monde. Mais parfois, c'est la dèche. Moi, je m'en suis sorti quand j'ai commencé à bosser pour le Pélican. Maintenant, Cúper attend que le Pélican lui donne du boulot, à lui aussi. On va voir. Peut-être qu'on va travailler ensemble. Ça serait mieux. Moi, je peux pas laisser Jenifer sur le carreau. Elle m'aime, elle prend soin de moi et elle adore les enfants. Julieta et Ramiro mangeront toujours à leur faim. Je le jure sur ma vie. Ils sont petits. C'est mes gosses. Ils auront une vie meilleure. Et Jenifer est une fille bien. Je vis avec elle depuis qu'elle est tombée enceinte de Ramiro, il y a quatre ans je crois. Après, elle a eu la petite. Un jour, je me suis dit que je l'aimais. Pour de vrai. Et peut-être bien que je l'aime. Je sais pas. Je crois que oui. Des fois je rentre à la maison, l'après-midi, elle est en train de donner à manger à la petite et j'ai le cœur qui fond. Je les regarde toutes les deux et j'arrive pas à croire qu'elles sont à moi, je sais pas comment dire. Jenifer, elle est fan de Gilda[1]. Elle a tous ses disques. Et elle les connaît par cœur. La chanson « No me arrepiento de este amor » lui tourne en boucle dans la tête, « l'amour est un miracle et je t'ai aimé comme jamais je n'aurais imaginé », fredonne-t-elle en suivant la voix de Gilda pendant qu'elle donne à manger à Julieta, et je sais que je ne la laisserai jamais tomber. Ça, c'est sûr.

Mais je suis fou de Marú.

C'est plus fort que moi.

Marú me fait décoller, elle me met sur orbite, je sais plus qui je suis quand elle me regarde et qu'elle me demande : « T'es qui, toi ? »

C'est pour ça que ces types sont en train de me défoncer, je pense tout à coup. Cette fois je vais y passer, je suis fait comme un rat. Quand on est au bord du précipice, on peut plus se faire d'illusions.

---

1. Gilda est une chanteuse populaire de *cumbia* argentine des années 1990.

Est-ce que Cúper fera quelque chose pour moi, pour ma mémoire, pour mon honneur, si je crève ? Et mon vieux, qu'est-ce qu'il fera pour leur régler leur compte ? Comment ils feront si je ne suis plus là pour leur raconter ?

Qu'est-ce qu'il restera de nous ?

Vaste question.

Il y a dix ou onze ans, Cúper jouait dans l'équipe des espoirs du club Duffle-Coat. Il était milieu latéral, comme on appelle maintenant les numéros 8. « Milieu latéral, franchement, qu'est-ce que ça veut dire ? se moquait mon vieux. Le foot, aujourd'hui, c'est que du baratin, du blabla, du flan. Personne ne joue plus par amour du sport », qu'il disait. Ils avaient baptisé le club comme ça parce qu'ils s'étaient dit qu'un mot en anglais, ça faisait bien pour un club, m'a raconté Cúper. Ils avaient dit : « Regardez River Plate, Newells, Vélez Sarsfield[1]... » C'est pour ça qu'ils l'ont appelé le club Duffle-Coat. C'est sûr que personne ne savait ce que ça voulait dire, « duffle-coat ». Mais ils ont trouvé que ça sonnait bien. Cúper était doué. Il était rapide, il ne ratait jamais un ballon et il avait de l'endurance. Quand ils sont devenus vice-champions de première division, un recruteur l'a emmené en Espagne et ils l'ont pris à l'essai au Valencia CF Banco. Il allait signer un contrat pour trois ans et toucher un bon paquet de dollars. Sauf qu'il a passé la visite médicale. Et ce con de médecin est allé raconter aux patrons du Valencia que Cúper avait un souffle au cœur. Ne me demandez pas ce que c'est. Mais Cúper a dû rentrer. Avec son souffle au cœur. Il joue toujours, bien sûr. En défense, il court moins, il se ménage, il n'a plus la grosse tête. Mais il aime encore ça, il tâte du ballon et il joue. Puisqu'il avait joué au Valencia, on l'a appelé Cúper. Comme le footballeur. Voilà.

La copine de Cúper, la Mona Lisa, elle est du bidonville Independencia. Son père fait les poubelles pour trouver des bricoles

---

1. Célèbres équipes de football argentines.

à revendre. C'est pas rose tous les jours. Cúper allait la voir de temps en temps, là-bas, à José León Suárez. Un jour, je l'ai accompagné. On n'avait pas un rond et on était à pied. On a pris le train des *cartoneros* de vingt-trois heures et quelques, à la station Carranza : la rame était bondée à cause de leurs chariots pleins à craquer. Ça débordait de boîtes de conserve, de bouteilles, de journaux ou de revues. Ils puaient un peu la merde, les chariots, entassés comme ça dans la rame. Parce qu'il reste toujours des trucs un peu dégueu collés aux objets qu'ils ramassent. Cette nuit-là, on est allés boire un coup tous les trois, et Cúper s'est décidé à demander à la Mona Lisa si elle ne voulait pas venir vivre avec lui. Il assure, Cúper. Finalement elle est venue, et je crois que ça roule entre eux. Mais je sais qu'il aimerait bien se marier avec une de ces filles qui perdent leur portefeuille dans les bars de Corrientes. C'est la vie.

C'est la première chose que j'ai pensée : des flics, ces types sont des flics. Ils étaient trois et ils conduisaient une Ford bleue, éclairage minimum, tranquillement, sans attirer l'attention. Ils ont fait un tour, ils sont arrivés du côté du fleuve, par l'avenue principale, et après avoir traversé Puerto Apache ils sont allés droit au but. J'étais en train de regarder un match de l'Italie. Bati ne jouait pas parce son genou lui faisait encore mal. Crespo, grâce à Dieu, n'avait encore fait aucune action. Crespo, je peux pas l'encadrer. Il se la pète alors qu'il est nul. Mais Verón la Petite Sorcière avait marqué un but d'anthologie. L'action repassait à l'écran lorsqu'ils ont frappé à la porte. Ils ne m'ont pas pris par surprise. Toti était venu me prévenir quelques minutes plus tôt. Toti habite en face. Il a traversé la rue pour me dire qu'il y avait une Ford bleue qui rôdait. Alors j'ai allumé la télé et j'ai attendu, comme si de rien n'était. Ils se sont bien comportés. Ils n'ont rien cassé. Ils m'ont embarqué sans toucher à un seul de mes cheveux.

« Il revient tout de suite, madame, a dit le chef à Jenifer. On bavarde un peu et on vous le ramène », il a dit.

Jenifer a dit : « Bon, d'accord. »

Elle a l'habitude de voir passer des gens bizarres, elle me pose pas de question. Elle sait que les affaires, c'est les affaires. Je me suis tout de suite rendu compte que ces types étaient à la masse. Ils ne savaient pas qui j'étais. Ils ne savaient pas ce qu'ils cherchaient. On leur avait filé mon adresse à Puerto Apache et ils avaient débarqué. Chez moi.

> *Qui viendra m'arracher à toi,*
> *à ton histoire, à ta mémoire ?*
> *Je sens que la vie s'enfuit déjà,*
> *et qu'aujourd'hui ne reviendra pas[1].*

C'est ce que chantait Gilda. Et ce que chantait Jenifer en faisant la vaisselle. Je regardais le but de la Petite Sorcière pour la deuxième fois. C'est à ce moment-là qu'ils ont frappé à la porte.

« T'as une minute, ma poule ? » m'a demandé le chef.

J'ai regardé à nouveau comment la Petite Sorcière prenait de l'élan et frappait la balle en lui donnant de l'effet : le ballon passait à droite du mur de la défense, le gardien se jetait désespérément dessus, peut-être qu'il l'effleurait du bout des doigts mais il ne l'attrapait pas. Tout dépité, le type regardait la balle au fond de sa cage, immobile sur le gazon touffu. Verón regagnait son camp en marchant tranquillou, les bras levés. La Lazio menait 3 à 0.

« Oui, j'ai dit au chef. Bien sûr. »

Je me suis levé.

Dans ces cas-là, pour la famille, il vaut mieux ne pas donner l'alerte.

Je n'ai donc rien dit à Jenifer. Je ne lui ai même pas dit au revoir. J'ai quitté la maison comme si je sortais acheter des clopes. Et les types m'ont emmené.

---

1. Extrait de la chanson « No me arrepiento de este amor », de Gilda.

Marú

ELLE habite en face. De Puerto Apache, je vois les lumières des docks qui longent le quai n° 4, de l'autre côté du canal. C'est là qu'elle vit, dans un duplex. Un trois-pièces équipé grand luxe. Dans la cuisine, par exemple, il y a des bocaux remplis de pistaches, de café de Jamaïque, de chocolats aux amandes... Le lit de Marú, à l'étage, c'est un lit de rêve, un *king size* interminable avec des draps en lin qui font plein de plis. Mais c'est ça qui est bien, dit Marú, qu'ils fassent des plis. Il y a des lumières avec des appliques en mousseline et des tableaux partout, jusque dans les toilettes. Par exemple, tu vas pisser et tu te retrouves en face d'une de ces nanas, couturières ou modistes, je suis pas sûr, qui te regardent fixement. Une peinture d'un certain Derqui, Termi, ou Berni. Je me demande toujours pourquoi il y a un tableau comme ça dans les toilettes, des scènes populaires, un peu tristounettes, je sais pas comment dire, et dans le salon une sélection de tableaux avec des fruits, des ciels ouverts ou les lumières de New York. Marú dit qu'elle n'en sait rien, qu'elle aime bien comme ça, mais qu'elle ne sait pas pourquoi. Si j'insiste pour qu'elle m'explique ce qui lui plaît tant là-dedans, elle s'énerve et finit par me dire qu'elle n'en a pas la moindre idée, que j'arrête de l'emmerder ou que j'aille demander aux décorateurs. Marú, c'est une déesse, mais quand une mouche la pique, mec, planque-toi.

Les décorateurs ! Je les ai vus une fois, une semaine avant qu'elle emménage. Deux pédés pas possibles. « Gays, m'a dit Marú. C'est pas des pédés, c'est des gays. » J'ai regardé Marú et je n'ai rien dit. Dans ce monde, il y en a des mondes. C'est un truc difficile à expliquer.

Les balcons du duplex de Marú, on dirait une jungle. Deux jungles. Une en haut et une en bas. Ça aussi, c'est compliqué. Elle se rappelle pas le nom des arbustes, ni celui des fleurs d'ailleurs. Elle en a fait des petits jardins à la mode, des genres de serres, de pépinières ou je ne sais quoi, qui vous envahissent de mauvaises herbes et qui coûtent tellement cher qu'on pourrait croire que les plantes ont été rempotées avec de la cocaïne. De toute manière, il n'y a rien de pire que la réalité. Je ne me sens jamais aussi bizarre, aussi loin du monde et aussi excité que quand je m'allonge sur le lit de Marú, que je m'étire de tout mon long, puis que je me tourne et que je regarde les petites lumières jaunes de Puerto Apache qui clignotent, là-bas, de l'autre côté du quai et de l'avenue Costanera, en promenant ma main sur le ventre de Marú, le long de ses jambes et dans sa fourrure noire entrouverte sur son lit infini.

La grande classe, l'appart de Marú.

Parfois, je me dis que je suis un voyou.

Et d'autres fois, je me dis que la vraie crapule, c'est elle.

Je n'ai pas encore tiré ça au clair.

Je pense à ma mère. Comme ça. À la mère de ma mère. Une femme qui a passé toute sa vie à trimer pour les autres. Repasseuse, qu'elle était. Elle se tuait à repasser des chemises, des nappes et des draps.

Maintenant, je comprends pourquoi il faut tellement repasser les draps. Pour qu'une gonzesse comme Marú ramène dans son appart un loubard de Puerto Apache qui se mouche dans ses taies d'oreiller.

La carrière de Marú a commencé à dix-sept ans, après avoir suivi des cours du soir au lycée. Elle a arrêté les castings pour faire des animations promotionnelles. Elle dit que ses meilleures campagnes, ça a été pour des *alfajores*[1] à Gesell, sur la côte, pour Marlboro sur le yacht de Scioli[2] à Pinamar, pour des cartes de crédit chez les bourges de San Isidro et pour des téléphones portables à la Recoleta. À vingt ans à peine, elle était serveuse dans des bars-pizzerias du quartier de Retiro, ce genre d'endroits hybrides avec des noms bizarres, en français ou en russe par exemple, remplis de paumés, de camés et de branleurs. Quel drôle de mot, « hybride », non ? Ça veut dire mélange. Un truc hybride, c'est le résultat du mélange d'autres trucs. Moi, par exemple, je suis un hybride d'une certaine manière. Et Marú aussi. Le Pélican, c'est le plus hybride des hybrides que je connaisse.

Finalement, Marú a atterri dans un quartier branché, à Las Cañitas. Et ça lui a changé la vie. À vingt-deux ans, elle était déjà chef de salle dans un resto asiatique. Ensuite, elle a été promue responsable d'un autre établissement qui est devenu le plus en vue du coin. Et ainsi de suite. Elle venait d'avoir vingt-quatre ans quand le Pélican l'a rencontrée.

De temps en temps, j'aperçois les lumières des docks en face du quai n° 4, depuis Puerto Apache. Un soir où je fais rien, parce qu'il n'y a rien à faire, je vais frapper à la porte de Toti.

« On va à la lagune, Toti ? »

Ça lui dit bien.

« Tu veux que j'apporte quelque chose ? il me demande.

– Ouais, prends », je lui dis.

On marche un moment dans la douceur d'une nuit d'automne comme une autre, au milieu des odeurs d'herbe grasse et de rivière, et on arrive au bord de la lagune. Les investisseurs, les

---

1. Biscuit traditionnel fourré à la confiture de lait.
2. Homme politique argentin, ancien vice-président de l'Argentine (2003-2007) et actuel gouverneur de la province de Buenos Aires.

écologistes et les petits vieux qui font des randos dans la Réserve le week-end l'appellent « la Lagune aux mouettes ».

Ils me font marrer, avec cette manie de toujours inventer des nouveaux noms. À quoi ça sert aujourd'hui de donner des noms aux choses ? Il y a des trucs qui m'échappent, que j'arrive pas à piger. Je préfère de loin quand un de ces gars qui deviennent miros à force de regarder le ciel avec leur télescope découvre un nouveau caillou à la dérive et l'appelle ZKY-78954-ß.

Toti roule un joint et on le fume allongés par terre. Je me fais un petit oreiller avec ma veste et le temps passe, avec cette liberté qu'il n'a presque jamais.

Des fois, Toti aime bien faire son show. C'est pour ça qu'il dit aux curieux qu'il s'appelle Tota. « Je suis la Tota, mon chéri », qu'il leur dit. Il se balade rue Godoy Cruz avec ses talons hauts, ses bas résille et un mini-string qui lui laisse le cul à l'air. Incroyable. Il lance ses cheveux en arrière, et de loin on dirait une vraie bombe.

« Moi, c'est vrai, j'aime les mecs, il me dit. Mais j'te jure que s'il y a en un qui vient m'emmerder, je lui en colle une.

– J'te crois pas, Toti », je lui dis. Parce que je m'ennuie, parce que Marú me manque terriblement, et parce que je suis fou de jalousie.

« Si, me dit Toti. Je sais que toi, tu me crois. T'étais là le jour où on s'est mis dessus, avec Sosa. »

Je tire sur le joint. La fumée me tourne la tête par vagues douces, joyeuses et stupides.

« Tu t'rappelles, non ?

– Oui, je lui dis. Je me rappelle. »

Ça s'est passé vers chez Momo, plus au sud, après l'avenue. Sosa le Moustachu a balancé une saloperie à Toti et il lui est tombé dessus.

« Espèce de petite pute, t'as pas de couilles ! »

Sosa l'a attrapé et l'a immobilisé avec ses bras. On aurait dit qu'il allait lui briser les os. Il a des bras gros comme des troncs, Sosa. Je sais pas comment Toti a fait pour se dégager, mais il s'est relevé, furieux, et quand Sosa s'est approché de lui une seconde fois, Toti lui a mis un coup de boule : il lui a éclaté le nez, il lui a fait voler trois dents et Sosa le Moustachu a roulé par terre.

« Bon, m'a dit Toti. Alors tu sais bien que si y'en a un qui joue les gros bras avec moi, je lui casse la gueule. J'aime bien les gros bras, mais pour d'autres genres de choses. J'aime qu'ils soient tendres et vigoureux, avec une queue bien dure, et qu'ils sachent ce qu'ils ont à faire... S'ils sont comme ça, je peux tout leur passer. Mais les brutes, les connards et les nazis, je m'en débarrasse vite fait bien fait.

– Et ils te manquent ? » je lui demande.

Je jette le cul du pétard et je l'entends crépiter dans l'eau paisible de la lagune.

« Mes amants ?

– Ouais.

– Bien sûr qu'ils me manquent.

– Je savais pas qu'on pouvait ressentir ça.

– C'que tu peux être con.

– Marú m'a demandé si elle allait me manquer.

– Et tu lui as répondu quoi ?

– D'abord je lui ai dit non, après j'ai avoué que oui, elle allait me manquer... Et elle est partie.

– Elle est partie ?

– Oui, une semaine, à Miami, avec le Pélican. »

Toti ne dit rien. Il retrousse son pantalon et il regarde sa jambe gauche. Il aime bien ses jambes. Je trouve qu'il a des jambes de gonzesse. Il touche les cicatrices que lui a laissées la vipère qui l'a mordu, cette nuit où on est entrés à Puerto Apache.

« Moi, à ta place, je la tue », dit Toti.

Le Pélican, il a commencé en arnaquant des touristes dans le quartier de La Boca. Il appartenait à une bande bien connue dans le coin. Après avoir remporté une bagarre à coups de chaînes pour obtenir le contrôle de la rue Del Valle Iberlucea depuis Caminito jusqu'au stade de La Boca, il a été repéré par un groupe de *barras bravas*[1] de la région. Et il est parti. Il s'est dit que ce nouveau boulot lui ouvrirait plus de portes. Avec le temps, il a gravi les échelons, et un jour il est devenu garde du corps d'un leader syndical. Puis d'un autre. Et ainsi de suite.

C'est à ce moment-là qu'il a commencé à raconter qu'il travaillait dans la sécurité.

« Je protège untel », qu'il disait. Il avait l'impression que ça lui donnait de l'importance. Il y a plein de mecs comme ça, dans cette ville. Des gorilles qui prennent la grosse tête. Mais c'est avec les politiques qu'il a vraiment fait du fric, le Pélican. Après les syndicalistes, il est passé aux politiques. Avec ces gens-là, c'est du sérieux. Ils brassent un sacré paquet de pognon.

Et quand y'en a un qui te dit « ce mec-là, je peux plus le blairer », « occupe-t'en », il faut deviner comment tu es censé t'occuper du mec en question.

On dit que le Pélican ne se trompait jamais. C'est ce qui a fait toute la différence. Il ne doute pas, le Pélican, et il n'a jamais de scrupules.

On lui a enseigné les bonnes manières, notamment quand il a commencé à fréquenter un greffier du tribunal de Comodoro Py, il y a quelques années. Paraîtrait que le Pélican lui faisait son affaire dans un petit appart que ce monsieur lui avait déniché, dans le Barrio Norte. Après ça, il aurait été dégrossi par la femme d'un attaché culturel d'un de ces pays qui flottent sur le Pacifique mais que personne ne sait jamais placer sur une carte, genre les îles Fidji ou Samoa. C'est un mec basique, le Pélican, mais il est pas con. Ce qui s'est passé, c'est qu'un jour il a chopé un bon plan et il a monté sa propre affaire. Il a ouvert un bar-restaurant dans une rue branchée de Palermo. Au début, il offrait le champagne à tout le monde, il faisait venir plein de gonzesses, il fermait les yeux sur les petits trafics d'herbe et de cachetons, il laissait les clients

---

1. En Argentine, supporters d'un club de foot caractérisés par leur extrême violence, et souvent proches des réseaux mafieux.

se payer des filles, dans la limite du raisonnable, et ça l'a amené vers des business plus juteux, plus ambitieux... On doit toujours quelque chose à quelqu'un, et le Pélican n'est pas une exception. Il avait des engagements, c'est clair, et il les a respectés. Et c'est toujours le cas. Parce qu'un engagement respecté, c'est aussi l'assurance d'autres avantages : protection, sécurité, nouveaux investissements. Pour ça, le Pélican ne se trompe jamais. Il fait les choses à sa manière, mais il paie ce qu'il doit payer.

Marú, il l'a repérée à Las Cañitas il y a environ trois ans. Mince, grande, impressionnante, Marú ne passe jamais inaperçue.

Le Pélican lui a fait une offre et il l'a emmenée à Palermo avec lui. Deux ou trois mois plus tard, elle était chef de salle dans un de ses restos. On raconte qu'ils ont commencé à coucher ensemble fin 1998. Il s'envoyait toujours en l'air avec la femme de l'attaché culturel, mais c'était sans avenir. Ces dames ont toujours un mec dans chaque port, mais elles ne quittent jamais leur mari. À un moment, elles font leurs valises et s'en vont. Il paraît qu'il y avait quand même un truc entre eux. Mais ça n'a rien donné. En janvier 1999, elle a dû partir avec son jules un mois ou deux, chez eux ou ailleurs, je sais pas, mais elle a dû partir. Et le Pélican a emballé Marú. Il l'a emmenée aux Caraïbes et à New York, il lui a promis monts et merveilles, et il lui a offert tout ce qu'elle voulait. Bien sûr, Marú, elle s'est laissée acheter. Un peu plus tard cette année-là, elle s'est fait refaire les seins. Et mettre un appareil dentaire. C'est tout. Le reste est d'origine. Y'a pas beaucoup de meufs qui ont naturellement cette carrosserie. Marú, c'est une formule 1.

Moi, ça me fait toujours un peu bizarre, cette histoire de seins. C'est pas mal, mais... Je sais pas. Des fois je me demande comment ça serait de caresser une de ces nanas refaites de haut en bas. Comme Graciela Alfano, celle de la télé, par exemple. On peut les toucher sans qu'elles se dégonflent, ces poupées-là ?

Je me souviens de Marú en 1997, quand je l'ai vue habillée comme une reine pour la première fois.

Elle m'a retourné le cerveau.

Quand le Pélican l'a rencontrée, elle était chef de salle dans le restaurant d'un de ces gars devenus célèbres avec la mode de la cuisine fusion. J'ai jamais bien compris ce que c'était, la cuisine fusion, mais pour moi c'est : on coupe tout en petits morceaux, la viande ou autre chose, on ajoute du riz marron – celui qui a l'air d'être tout cramé –, un peu de soja, un peu de tofu, on fait tout frire dans un wok et on appelle pas ça « frit » mais « cuisiné au wok ». Un truc dans le genre. Avec un plan comme ça, Toti, y'aurait moyen de se faire un max de fric. Mais je vois pas ça à Puerto Apache. Faudrait chercher un autre endroit.

« Moi, je veux pas travailler, me dit Toti. Jamais. »

Il me fait marrer, lui.

C'est mon ami.

C'est pour ça qu'hier soir, il a traversé la rue pour me prévenir que les flics rôdaient dans leur Ford bleue, et j'ai allumé la télé en disant à Jenifer « continue la vaisselle » comme si de rien n'était. Et c'est ce qu'elle a fait.

Si ces mecs sont des flics, il faut savoir que, moi, les keufs me recherchent pour occupation illégale, vol à la tire et proxénétisme. La première raison m'honore, la deuxième je l'ignore, et la troisième, je l'ai héritée de mon vieux. Moi, j'ai jamais vécu sur le dos des filles. Il fallait qu'elles gagnent leur vie, c'est un truc que les gens doivent faire. Et je les ai un peu protégées, c'est tout. Mais même si j'ai parfois eu quelques petites faveurs, elles ne m'ont jamais donné un centime.

Je sais pas ce qu'ils veulent, ce qu'ils cherchent, ni ce qu'ils attendent de moi, ces types.

Ils sont paumés. Ils font flipper. Quand ils savent pas quoi foutre, ils font flipper.

Le premier truc qui me passe par la tête, c'est de leur dire la vérité.

Avant même que la Chochotte aux os en sucre m'envoie la première mandale, je leur dis qui je suis.

« Je suis le Rat », je dis au type en face de moi.

Mais le type me croit pas.

Le gardien de l'immeuble de Marù, c'est un pote, il est toujours là le dimanche soir. Il a passé deux ou trois semaines avec nous. Pendant une bagarre à la Villa 31[1], on lui a planté un couteau dans le ventre et il est arrivé en sang. Il pouvait pas se pointer à l'hôpital, bien sûr. On l'a soigné. Il fallait désinfecter et recoudre. Rosa était infirmière. À force d'aider les chirurgiens, elle a appris à recoudre toute seule, même les blessures importantes. Avec Rosa, au bout d'un moment, les cicatrices disparaissent toujours. Le mec s'appelle Crespo. À Puerto Madero, y'a tellement de fric que même ce qui ne brille pas, c'est de l'or. Je me regarde dans le miroir, comme d'habitude, et je me demande si c'est bien moi. Il y a plein de miroirs dans le hall d'entrée. Et dans les ascenseurs. Et dans les couloirs. Ces gens-là, ils ont besoin de se regarder. Pour vérifier qu'ils ne sont pas invisibles, peut-être.

C'est pour ça que c'est facile pour moi de me pointer chez Marú le dimanche. Elle est encore à Miami. Aujourd'hui, je l'ai appelée. Pour vérifier. Elle était à l'hôtel, toute seule. Le Pélican était parti je ne sais où. Pour affaires, je me suis dit. Le Pélican, il fait du business même quand il dort. Crespo regarde ailleurs, et Cúper et moi, on entre.

« Et toi, tu fais quoi ? j'ai demandé à Marú.

– Je pense à toi, tu me manques. »

Je connais plutôt bien l'appart, mais je ne l'ai jamais fouillé. Donc je fais un petit tour. Cúper s'affale dans un fauteuil en face de la jungle du salon et il feuillette un magazine de mode. Je cherche sous les matelas, dans les tiroirs des placards, dans les boîtes de médocs, dans les accessoires et les kits de maquillage. Je sais pas ce que je cherche. Mais je trouve rien. Pas une lettre, pas un agenda. Il n'y a rien, chez Marú. Rien de personnel. Cette fille n'a aucun secret. Le coffre-fort de la chambre est grand ouvert.

---

1. Un des bidonvilles les plus connus de Buenos Aires, situé près du centre-ville, derrière la gare de Retiro.

Je fouille dedans. Je trouve quelques bagues en toc, des colliers fantaisie, une broche en émail vintage, rien d'important. Et cinquante-cinq dollars qui traînent en petites coupures, froissées. Rien. Je crois que « vintage », ça vient de l'anglais. Un jour, je me suis arrêté devant l'une de ces friperies à la mode du Barrio Norte, sur l'avenue Santa Fe je crois, et j'ai jeté un coup d'œil.

Ce qui m'intéressait, c'était pas ce qu'il y avait dans la vitrine, mais de voir comment s'écrivait le mot « vintage ». Parce que ça fait partie de ces mots que tout le monde prononce un peu différemment. Peut-être parce que c'est juste un mot qui permet de vendre des vieux trucs au même prix que les neufs. C'est comme pour le mot *coiffeur*[*1]. Tous les salons de coiffure pour dames écrivent le mot « coiffeur » différemment. Heureusement, maintenant, ce ne sont plus des coiffeurs mais des stylistes. Ça fait plus moderne. Moi, j'aime bien savoir comment on écrit les mots. C'est une manie que j'ai, voire une obsession, comme disait ma mère. La pauvre. Elle peut même plus lire le journal. Heureusement qu'elle a la télé pour se tenir au courant de ce qui se passe. « Toi, mon petit Pablo, tu as un truc avec les mots », qu'elle me disait quand j'étais petit. Elle me le dit toujours. Les mères, ça répète souvent la même chose. Qu'on soit petit ou grand. Pour elles, on reste toujours les mêmes. Ça serait une chance, de rester les mêmes. Mais les mêmes que qui ? C'est le genre de question qui peut me faire cogiter pendant des heures. Ma mère, c'est une sainte. Elle en a vu de toutes les couleurs à cause de moi. Ça, je le sais bien. Même si des fois elle est pète-couilles, je dois reconnaître qu'elle a toujours été là pour moi. Ce qui n'est pas le cas de tout le monde.

Je continue à chercher, et tout ce que je trouve, c'est une photo de Marú. 10×15. En couleurs. Marú sur son balcon avec une petite robe d'été blanche à fines bretelles, bronzée, les cheveux lâchés. Elle rit. Il y a un peu de vent et elle écarte une mèche de son visage avec sa main. Son autre main est posée sur sa nuque dégagée.

---

1. Les mots en italiques suivis d'un astérisque sont en français dans le texte.

Derrière Marú, on voit le sud de Puerto Madero, on voit l'écluse qui relie les quais, et l'eau du dock n° 3 à peine agitée par le vent. Je prends la photo. Au fond, j'avoue que je suis déçu de n'avoir rien trouvé chez elle. Genre, je sais pas, un t-shirt du Pélican par exemple. Un de ces t-shirts ringards Banana Republic, comme il porte. Ou un boxer. Il aime bien les imprimés cachemire. Ce mec n'a aucun goût, la seule chose qu'il ait su choisir dans sa vie, c'est sa femme. Avec Marú, il a l'impression d'être quelqu'un d'autre. J'aurais préféré trouver quelque chose, même si ça m'avait remué les tripes. Une broutille, un détail qui m'aurait appris n'importe quoi sur elle. Trouver un truc à moi, par exemple. Ça, c'est sûr que ç'aurait été le top. Mais non, rien. Ça me fout tellement les boules que je chourave la photo, je la découpe dans la salle de bain avec des petits ciseaux à la con que je trouve dans l'armoire à pharmacie, et je la range dans mon portefeuille derrière la photo de mon gamin Ramiro, quand on a fêté ses deux ans je crois. Je sors de chez Marú les idées embrouillées et la rage au ventre.

On fait un tour dans les couloirs de son étage et je m'arrête devant une autre porte, j'ai comme l'impression qu'il n'y a personne. La manière la plus simple de vérifier, c'est d'appuyer sur la sonnette. J'appuie. Personne. Alors on entre, Cúper et moi. C'est facile d'ouvrir des portes qui ont l'air blindées. Ces cons de bourges claquent un max de thunes pour des blindages qui n'ont rien de blindé. Mais pas la peine qu'ils le sachent. J'entre et j'en crois pas mes yeux. Cet appart, c'est pas un deux-pièces et demie pour poule de luxe. Non, mon vieux. Là, c'est un autre standing. Deux cent cinquante mètres carrés au moins. Quatre chambres, des salles de bain partout, deux pièces aménagées pour des « employées ». C'est comme ça qu'ils appellent les filles qui font le ménage, qui cuisinent et qui s'occupent de leurs mioches : des « employées ». Ils ont pas honte. Il y a des tapis, pas de la moquette. Des vrais tableaux, pas des copies. Je sais que c'est des vrais tableaux parce que je m'approche et je vois les gros coups de pinceau, les reliefs de la peinture à l'huile, j'enfonce mon ongle et je fais sauter une écaille de peinture. C'est bien des vrais. Ça me fout encore plus les boules. On fait un tour dans l'appartement, Cúper et moi. On ouvre tout, on fouille, on balance des fringues, des chaussures, des costumes, des soutifs, des capotes, des plaquettes de pilules, des somnifères, des papiers, des flacons, des escarpins, des couches, des pâtes, du café, des céréales, on balance tout par terre : on laisse la baraque sens dessus dessous, un vrai bordel, mais pas une porcherie non plus. Ça, c'est ce que font ceux qui ont du ressentiment, les mecs aigris : ils cassent des œufs sur les chemises ou les cravates des bourges, ils chient dans les fauteuils, sur les tables, ils pètent tous les verres en cristal. Pas nous. On n'a pas de raison de faire ça. Un peu de rage et de colère qui nous tournent en rond dans la tête comme un vent furieux. C'est tout.

« On se casse ? » je dis à Cúper.

Il s'arrête au milieu du salon.

La pièce est immense, et presque vide. C'est pas possible de décrire ses dimensions. Il y a comme des groupes de meubles. Des fauteuils de ce côté-ci, en face des fenêtres, qui regardent les quais, et d'autres qui leur tournent le dos. À des kilomètres de là, une grande table et une douzaine de chaises pour que ces messieurs-dames y dînent de temps en temps. Encore plus loin, une biblio-thèque et un bureau. Et au milieu de tout ça, rien, des déserts, des espaces vides, ce genre de tapis dont on voit qu'ils ne sont pas neufs, des antiquités comme on dit, des pièces raffinées tis-sées pendant des siècles par des tribus perses ou un truc du style. L'incroyable quantité de fric que possèdent les propriétaires de ce palace s'impose comme une évidence, c'est difficile à expliquer.

Avant de partir, Cúper choisit un ensemble de jardinières dans lesquelles cohabitent des roseaux, des bambous et des grands palmiers. Il déballe l'artillerie. Et il pisse dans les plantes.

On ne casse rien. C'est qu'une petite excursion. Comme aller au zoo ou au musée.

Ou une visite de courtoisie.

On ne peut pas cultiver l'ignorance.

Il faut bien voir du pays.

Cúper se la secoue et referme sa braguette. Il refait un tour sur le balcon, qui ressemble à un patio suspendu. Les rideaux qui vont d'un bout à l'autre des baies vitrées dansent délicatement dans l'air de Puerto Madero.

On referme la porte avec soin. On descend. Crespo regarde un match de la NBA sur une télé encastrée dans le meuble de la réception. Il ne bouge pas la tête. Il lève juste les yeux et nous lance un clin d'œil.

Dans la rue, ça sent bon la viande grillée. Ça vient sûrement d'un des restos du quartier. Ça doit être le pied d'être accueilli par une odeur pareille quand tu rentres chez toi. C'est pas juste.

Plus tard, même si je me suis un peu calmé, j'ai du mal à trouver le sommeil. Je sors. Les lumières de chez Toti sont éteintes. Il pionce, ou alors il est pas là. Je parie qu'il est pas là. J'allume une clope. Je m'assieds dans un petit fauteuil en osier que je laisse toujours devant chez moi. Je fume. J'arrive pas à me sortir de la tête le billet d'un dollar tout neuf roulé en tube comme pour sniffer que j'ai vu dans le coffre de la chambre de Marú. J'arrive pas à me sortir de la tête ce rire qu'elle a sur la photo, et ces yeux noirs, fixes, aux éclats durs comme le métal.

Le Nabot est essoufflé. Maintenant, je suis attaché à la chaise, et toujours par terre. Il me donne encore deux ou trois coups de pieds. Il halète. Il est petit. Gros. Sa chemise lui sort du pantalon. C'est une chemise de plouc, fleurie, qu'on trouve dans les Tout à deux pesos, ce genre de bazars pleins de merdes fabriquées à Taïwan. Aujourd'hui, tout est fabriqué en Chine. Même les fringues de bourges super chères, des fois. C'est une des failles du système. Personne ne peut avoir la classe en portant des vêtements *made in China*, comme ceux des bouffeurs de chats.

Le goût amer et frais de la terre humide me remplit la bouche et recouvre un peu celui du sang. Sans décoller la tête du sol, je dis au mec qui halète :

« T'es à côté de la plaque, chef. »

Je perds la logique des choses, le fil des idées, on pourrait être dans une émission de télé-réalité. Je me demande s'il y a une différence réelle entre ce qui se passe à l'écran et ce qui se passe ici aujourd'hui. Je dis :

« T'as plus de souffle. T'es K.-O.

– Ferme-la, ma poule », me conseille le type.

Ma poule, qu'il me dit.

« Tu sais pas quoi faire, chef », je lui dis.

C'est de la provoc. Mais comme ça lui fait tilt quelque part, un truc qu'il ne pige pas, il ne comprend pas que c'est de la provoc.

Les jeans, c'est pas fait pour lui. La taille lui arrive sous le bide, les poches sont déformées. Quand il l'a acheté, il devait être trop long et ils lui ont fait un ourlet de quinze centimètres. En bas, il doit y avoir une couture, avec du fil jaune.

Il croit que je suis Pablo Pérez. Il se trompe. Comme toujours. Quoi qu'ils fassent, ces mecs sont toujours à côté de la plaque. Moi, je suis le Rat.

Je crois qu'il commence à comprendre que quelque chose ne tourne pas rond dans cette histoire.

Il va jusqu'à la table où sont installés les autres.

Celui qui ne m'a pas encore touché ricane en montrant ses dents, comme un loup. Je me dis que c'en est un.

Le grand, la Chochotte aux os en sucre, regarde toujours ses doigts gonflés. Il s'en remet pas.

Le Nabot leur parle à voix basse.

Ils marquent une pause, me regardent de loin et reprennent leur discussion.

Finalement, la Chochotte s'en va.

Il sort du petit hangar et j'entends un engin démarrer, peut-être une moto. On dirait la Harley Davidson de Sosa, le gars qui s'est battu avec Toti, une fois. Je pense que c'est la moto de Sosa à cause du bruit du moteur. Quand il s'en rendra compte, il va péter les plombs, le mec.

Les mains agrippées au bord, celui qui est assis sur la table continue à balancer lentement ses jambes, et il ouvre sa gueule de loup un peu plus grand.

Le Nabot revient vers moi.

J'ai déjà bien morflé, et pour être honnête, j'ai peur qu'il recommence.

Mais il ne me touche pas.

Il passe une main dans ses cheveux bouclés, il remonte son jean et il essaie d'y fourrer sa chemise. Il n'y arrive qu'à moitié. Il ne fait pas chaud, mais il transpire, le Nabot. Les plis de son cou sont moites de sueur.

« Je reviens, ma poule », qu'il dit.

Ma poule.

Il a la face toute vérolée.

Faut voir le tableau.

Il sort du hangar et le bruit de ses pas courts et lourds sur le chemin en terre battue disparaît en quelques secondes.

Alors, petit à petit, je redresse le torse. Je suis assis par terre, les mains attachées au dossier de la chaise renversée sur le côté. Elle reste collée à moi, mais je ne suis plus assis dessus. Les nœuds ne sont pas bien faits et la chaise bouge un peu. Je sais pas comment décrire ça mieux.

Palace Apache

Le début de la vie, c'est le début des différences. Y'a pas long-temps, j'ai vu un film où un mec demandait pardon d'être né riche. C'était pas un film argentin : ici, personne aurait ce genre d'idée. Il y a des gens qui ont le temps de rêver. Pas nous. On n'a ni le temps, ni les rêves. Au moment où tu t'y attends le moins, tu bascules de l'autre côté. Nous, on a la mort aux trousses, elle nous colle au cul. C'est pour ça qu'on doit courir, sauter dans l'inconnu, vivre à bout de souffle. À Puerto Apache, il y a des maçons, des plombiers, des électriciens, des mecs qui ont appris la charpente-rie en prison, par exemple. Alors un jour, la Première Junte les a fait venir et leur a dit :

« Les gars, il faut construire un palace. »

Ils en revenaient pas, les gars.

Garmendia a fait bouger sa canine branlante avec son index et il a craché.

Le Tordu s'est gratté l'épaule.

Le Tordu, on l'appelle comme ça parce qu'il a les jambes arquées et parce qu'il y a quelques années, il a participé à deux ou trois prix de formule 2. Bon, c'était pas Fangio[1], il est même jamais arrivé dans les dix premiers. Mais il lui ressemblait un peu physiquement.

---

1. Le pilote argentin était également surnommé « le Tordu » (el Chueco).

Et il est pas très bavard non plus, par exemple. On raconte que Fangio ne parlait pas beaucoup parce qu'il ne savait pas bien parler. Je sais pas si c'est vrai. J'ai pas l'impression.

Mon vieux a dit : « Oui, un palace. Un bâtiment. Un truc différent.

– Pour quoi faire ? » a demandé un Noir qui bossait sur le chantier d'une tour dessinée par un Argentin qui vit à New York et qui construit des immeubles gigantesques dans le monde entier. Une tour pour une banque, je crois, pas loin d'ici.

« Parce qu'il nous faut un hôtel », a dit mon vieux. Et avant que quelqu'un ait l'idée de rigoler, il a enchaîné : « Et aussi parce qu'il nous faut un endroit... » Il a réfléchi un moment, et il a ajouté : « Des locaux, voilà, des locaux où on se réunirait, nous, pour parler tranquillement des affaires du quartier. »

C'était clair qu'en disant « nous », à ce moment-là, le vieux faisait allusion à Garmendia, au Tordu et à lui. Autrement dit, à la Première Junte.

« Un palace... » a répété le Noir avec une pointe de sarcasme.

Mon vieux s'est approché de lui.

« Appelle ça comme tu veux, qu'il lui a dit. Mais fais-le. »

Le Noir a détourné le regard.

Au sud, au niveau de la lagune, le ciel était plein de canards qui volaient en groupe. Les canards, ils sont hallucinants quand ils volent. On dirait plus des canards. C'est comme les avions : quand t'es dans un avion, à dix mille mètres d'altitude, en train de siroter un vin avec un nom bizarre, t'as pas l'impression d'être dans un de ces avions qu'on voit passer d'en bas, à dix mille mètres de là. Les choses, elles sont différentes, vues d'en haut ou d'en bas, de l'intérieur ou de l'extérieur.

« Tu m'as bien compris ? » a demandé mon vieux.

Le mec l'a regardé dans les yeux.

« Oui », il a dit.

C'est comme ça que la construction du Palace Apache a commencé. Un bâtiment avec un rez-de-chaussée et trois étages, situé sur une parcelle qui était restée libre, en face de la Lagune aux mouettes. Ce nom, c'est une blague. Il fait référence à un immeuble qui avait appartenu aux militaires, et que des bourges et des politiques ont racheté un jour pour le transformer en résidence de luxe.

Aujourd'hui, à Puerto Apache, la Première Junte organise une réunion. Les délégués du quartier sont là, avec les représentants des mendiants russes, hongrois et kosovars qui parlent espagnol. Ils se réunissent pour discuter avec les grands chefs des réseaux de mendicité, qui n'entrent à Puerto Apache que pour ça, pour négocier avec les intermédiaires. « Il faut mettre plus de gamins dans la rue, qu'ils soient plus blonds, que les filles soient bien habillées, et les garçons aussi, faut être respectueux, mendier avec dignité, c'est une nouvelle génération. » C'est ce que les chefs racontent aux représentants de tous ces gens qui ont débarqué d'on ne sait quels bateaux et qui sont venus s'entasser ici sans que personne s'en aperçoive.

Je disais donc qu'il y a des réunions pour s'organiser, prendre des décisions et travailler ensemble, au Palace Apache. C'est aussi là que vit mon vieux. Il s'est aménagé un petit appartement au deuxième étage, dans l'angle qui donne à la fois côté est et sur la lagune. Deux pièces, une kitchenette et une salle de bain. Mon vieux s'était retiré des affaires, mais il a toujours eu un peu de fric de côté. Donc il s'est payé sa résidence de sa poche. Et personne n'a rien dit. Un chef, c'est un chef.

L'hôtel proprement dit se trouve au troisième étage.

C'est Madame Jeanne qui a eu l'idée.

Elle en a parlé à la Première Junte.

« Il faut faire quelque chose, a dit Madame Jeanne, ou alors ici, on va tous mourir du sida. »

Personne n'a osé la contredire.

« Alors qu'est-ce qu'on fait ? a demandé le Tordu.

– Un hôtel », a répondu Madame Jeanne.

Le Tordu a suçoté le filtre de sa clope. Il fait toujours ça. Il a regardé Garmendia, puis mon père. Garmendia s'est levé et a passé sa main dans les quelques cheveux poivre et sel qui lui restaient.

Mon vieux regardait Madame Jeanne.

Il ne la portait pas dans son cœur.

Moi, je pense qu'il était fâché contre elle.

Au fond de lui.

Mais il le cachait bien.

Et c'est pas tout. On raconte qu'ils auraient couché ensemble, à une époque.

Le Tordu et Garmendia sont revenus à table.

On aurait dit un de ces films où les acteurs ne savent pas quoi faire.

Le Tordu a allumé une autre cigarette et Garmendia s'est servi un petit verre de Fernet-Branca.

« Je m'en charge », a dit Madame Jeanne.

À ce qu'on dit, mon vieux l'a regardée droit dans les yeux. Il avait des yeux gris sous ses sourcils gris. Des yeux qui faisaient peur, comme j'ai entendu quelqu'un le dire une fois.

« Avec une dizaine de gars, je peux tout gérer et organiser, a dit Madame Jeanne. Je m'occupe de trouver les types et les filles. »

Mon vieux ne la quittait pas du regard.

« T'es une belle salope, qu'il lui a dit.

– Il faut remettre le sexe à sa place », a dit Madame Jeanne.

La phrase est devenue célèbre.

Moi, je la trouve nulle, cette phrase. Mais elle est devenue célèbre.

Ils se sont mis d'accord. C'est comme ça que Madame Jeanne a installé son hôtel La Lagune rouge dans le Palace Apache, et elle paie tous les mois la somme que la Première Junte lui a demandée. Avec ce fric, ils donnent un coup de main à ceux qui n'ont rien.

« Nous, on est un peu socialistes, il paraît que le Tordu a dit un jour, en suçotant le bout de sa clope comme s'il était Fidel Castro et qu'il fumait un Havane.

– Socialistes, mon cul ! » lui a répondu un gros qui magouille pour un maire péroniste de la région.

Après ça, le sujet n'est plus jamais revenu sur le tapis.

Et depuis ce jour-là, le sexe a trouvé sa place à Puerto Apache.

« Ça a été une décision de santé publique », raconte Madame Jeanne aujourd'hui.

Et elle fume avec un porte-cigarettes. En riant.

Le jour où j'ai commencé à travailler pour lui, le Pélican s'était attaché les cheveux avec un élastique, et sa queue de cheval en tire-bouchon lui tombait dans le dos. Il portait un marcel vert et un de ces pantalons à motifs complètement démodés. Et des tongs. J'ai regardé ses pieds larges, ses orteils déformés, la crasse sous ses ongles, et ça m'a dégoûté. J'aime pas les tongs. Il a un peu de bide, le Pélican. Il fait de la muscu. Il prend trop de coke et il ne mange pas beaucoup. Mais il a du bide. C'était un dimanche midi, en plein été. Il faisait 35 °C et le restaurant de Las Cañitas était fermé. Il m'a fait entrer dans la cour. Il était en train de manger des grillades avec deux types. Ils m'ont offert une assiette de viande et un verre de vin. Il y avait aussi de la salade sur la table. Et du pain. Bref, ils ne manquaient de rien. Le Pélican mangeait et fumait sans s'arrêter. Les types aussi se gavaient de côtelettes. Moi, je me suis mis à mastiquer un morceau de viande la bouche ouverte en le faisant rouler entre mes molaires, comme font les chiens. Bruyamment. Je voulais attirer l'attention. Leur foutre la gerbe. Ils n'ont pas bronché. J'étais à sec et Marú m'avait dit qu'elle en toucherait un mot au Pélican. Au début, je voulais pas en entendre parler. Je pouvais pas l'encadrer. Je trouvais que c'était un beauf. On est tous des beaufs. Mais il n'y a rien de plus ridicule qu'un beauf qui se la raconte et qui se prend pour un mec branché.

On a fini de manger et on s'est grillé une cigarette. Les deux types à la table n'ont pas dit un mot. Le Pélican, si. Il a dit qu'alors comme ça, c'était moi, Pablo Pérez, que Marú lui avait parlé de moi, et qu'elle lui avait aussi dit qu'on s'était rencontrés à Villa Gesell quand elle était gamine. Il m'a aussi dit que Marú, c'était plus une gamine, que c'était sa meuf, il m'a même demandé si j'étais au courant et si c'était clair pour moi, je me souviens plus trop de ce qu'il m'a dit après, et il m'a demandé si c'était vrai que je cherchais un boulot.

C'est vrai. Marú, c'était encore une gamine quand je l'ai rencontrée. Elle avait dix-sept ans et elle faisait une animation pour des *alfajores* à Villa Gesell. Je me souviens de la robe que portaient les nanas du stand, Marú avait la même mais elle lui allait vachement mieux qu'aux autres, parce que Marú, elle a un petit cul d'enfer. Et la nuit, je la sautais sur la plage. Elle voulait pas, ou plutôt elle disait qu'elle voulait pas, mais en fait elle voulait, et c'était une déesse...

« Oui, j'ai dit au Pélican. J'ai besoin de bosser. »

Alors il m'a dit qu'on allait faire un test, un seul, ce jour-là, et que si tout se passait bien je commencerais à travailler pour lui. Et il m'a sorti une avalanche de numéros : enregistre-les, qu'il m'a dit, grave-les dans ta mémoire, ne les écris jamais, quoi qu'il arrive, apprends-les par cœur, tout dans la tête. Il m'a indiqué une adresse où je devais me rendre, demander à voir un type, attendre d'être devant lui et personne d'autre que lui, et réciter les numéros. C'était tout. Le Pélican ne prend pas de notes et n'a jamais utilisé le téléphone.

Il ne laisse aucune trace.

Marú, c'est toujours une déesse. Même après tout ce temps.

C'est comme ça que j'en suis arrivé là.

J'ai ce boulot. Je vis au jour le jour. Je me plains pas. Parfois, c'est la dèche. Je suis payé à la livraison. Quand il n'y a pas de livraison, je suis pas payé. C'est comme ça. Mais je me plains pas. Des fois, Cúper doit se faire un peu de blé, d'une façon ou d'une autre. Alors je lui donne un coup de main et on va faire un tour sur l'avenue Corrientes, dans les bars. Ces derniers temps, Cúper me dit que ça lui fait un peu peur.

« Imagine qu'aujourd'hui je rencontre la femme de ma vie, il me dit.

– Non, Cúper. Ça n'arrivera pas aujourd'hui.

– Et pourquoi ?

– Je le sais.

– Et comment tu le sais ?

– Parce que si tu la rencontres aujourd'hui, c'est fini.

– Je comprends pas.

– Tu devras te marier. Et c'est tout. Quand on n'a plus rien à chercher dans la vie, c'est fini. T'es foutu. Tu deviens un vieux con, un mollusque, un gros lard. Un de ces types qui en veulent à la terre entière et qui battent leurs gosses.

– Et pourquoi je battrais mes enfants ?

– Parce que tu les auras eus avec l'ex-femme de ta vie. »

Cúper me regarde. Il s'arrête à l'angle de Corrientes et Montevideo, il s'allume une clope et il me regarde.

« Tu te prends pour qui ? Pour un philosophe ?

– Non, je lui dis. Je suis le Rat.

– Ouais, t'es le Rat.

– Attends, reste tranquille. Regarde... »

Je lui montre un groupe de filles dans un resto. Elles sont quatre. Elles parlent toutes en même temps. Elles rigolent. Il y en a une qui lève la tête en riant et qui secoue ses cheveux, ses boucles châtain. Une autre pique un fou rire. Les portables, les Kleenex, les cigarettes sont sur la table, à côté des tasses de café. Les sacs à main sont accrochés aux dossiers de leurs chaises.

Ça va être facile.

Un seul de nous deux doit y aller, par l'entrée de l'avenue Corrientes, prendre le couloir pour aller aux toilettes, passer à côté de la table des filles. Le sac le plus accessible, c'est celui de la nana aux cheveux bouclés. Qu'elle continue à rigoler. Encore un peu.

« Vas-y », je dis à Cúper.

Et Cúper y va. S'il y a du grabuge, j'arrive et je fous un plus gros bordel encore. Dans ce cas, j'arrive en brandissant un flingue et

je crie : « Police ! Personne ne bouge ! », je pousse Cúper vers la
porte, puis on se tire en courant par la rue Montevideo jusqu'à
la rue Lavalle. Et là, on disparaît avant que quelqu'un réagisse.
Mais si tout se passe bien, si personne ne capte rien, Cúper entre
dans les toilettes, prend le portefeuille, laisse le reste et revient
tranquillement en sifflotant. Dans la rue, on marche ensemble.
On ne court pas. On a les mains dans nos poches à nous. On est
des citoyens comme les autres.

Mais ces jours-ci, j'ai du boulot. Pas mal de boulot. Apparemment, le Pélican est passé aux choses sérieuses. Ou Barragán.
Ça vient peut-être de Barragán. Ou des deux. Ils ont dû passer un
accord. Ils se sont dit qu'ils allaient viser plus gros. Et ils l'ont fait.
Parce que c'est pas le travail qui manque. Avec un peu de chance,
je pourrai mettre des thunes de côté, au cas où les vaches maigres
reviendraient... En vrai, je rêve de rassembler un bon paquet de
fric et de foutre le camp avec Marú. Je sais pas où. Dans un autre
pays. Ça, c'est sûr. Je crois qu'elle aimerait bien aller au Brésil. Le
problème avec le Brésil, c'est que c'est la porte à côté et que c'est
plein d'Argentins. On te retrouve en moins de deux, au Brésil.

L'année dernière, j'ai dû aller à São Paulo. Une affaire un peu
plus compliquée. Rien de terrible non plus. Il fallait le faire et je
l'ai fait. São Paulo, c'est une ville qui n'a pas de limites. Quand on
est un pauvre gars qui n'est jamais sorti d'ici, on a l'impression
que Buenos Aires est l'endroit le plus grand de la Terre. Mais São
Paulo, c'est encore plus grand. Et plus moche. L'année dernière,
je suis monté dans un avion pour la première fois et je me suis
envolé. Je suis allé au Brésil. À l'aller et au retour, j'ai vu Buenos
Aires d'en haut. C'est un truc difficile à raconter. Vue de très haut,
on dirait pas une ville. Tu sais que c'est une ville, tu sais que c'est
Buenos Aires, mais t'arrives pas l'imaginer. Tout est minuscule. Il
n'y a pas de perspective. On a l'impression que le fleuve pourrait
lui passer dessus, qu'il pourrait l'avaler, un truc du genre. Moi, ça
me fait quelque chose de penser que cette ville n'est rien. Et pendant ce voyage, j'ai pensé que moi non plus, je n'étais rien, que je

m'étais compliqué la vie, que je n'étais et que je ne serais jamais rien. Il y a des moments où je me fais un peu plus confiance et où je me dis que je vais m'en sortir. Mais là-haut, dans l'avion, j'ai vu tout en noir. Jusqu'à mes vingt-cinq ans, je n'avais pas de problèmes. Je vivais ma vie au jour le jour. Maintenant, on me tient par les couilles. Quand j'ai connu Jenifer, elle m'a plu. Elle est bien foutue. Elle a du caractère. Elle est naturelle. Câline. C'est un bon coup. Un jour, j'ai pensé que je l'aimais. Un autre jour, je me suis dit qu'avec elle, j'oublierais Marú. Parce que Marú allait d'un stand à un autre, d'un club à un autre. Je suis pas né de la dernière pluie, je l'ai vue s'éloigner petit à petit, mais sans regret. Elle a ses idées à elle. Elle veut vivre bien. Et puis Jenifer m'a annoncé qu'elle était enceinte. C'est bizarre d'apprendre une chose pareille. Moi, j'ai pas trop su quoi en penser. Mais j'ai tout de suite compris que je n'allais pas la laisser tomber. Ni elle, ni le bébé. C'est pour ça que Ramiro est né. Un an plus tard, plus ou moins, le Pélican s'est tapé Marú. Et ciao. Maintenant, c'est une autre histoire.

Mon boulot consiste à apprendre des numéros par cœur. Des tas de numéros. Un joueur de loto, comparé à moi, c'est un amateur. Je vais dans un bar-restaurant du Pélican, à Palermo par exemple, vers une heure du matin. Le Pélican me dicte des chiffres. Une seule fois. Deux au maximum. Je les enregistre. Je m'en vais. Je fais pas le con, ça vaut mieux, et je vais directement voir Barragán. Je lui récite les chiffres, au gros. Rien qu'à lui. Les chiffres sont des messages, des codes, ils veulent dire quelque chose. Un 4, c'est pas un 4. C'est du business. Moi, je sais pas ce que le 4 veut dire. 7 539 non plus. Mais je sais que c'est du business. Du fric. Je sais que c'est avec ces numéros que Barragán reçoit les commandes, organise les livraisons et les paiements. Mon boulot consiste à lui donner les numéros. Un point c'est tout. Il me donne jamais la même quantité de fric. Les numéros changent tout le temps. Des fois, j'attends le jackpot et je reviens avec une petite somme. D'autres fois, je sors de l'antre du gros avec un bon paquet de biftons. Je comprends pas pourquoi, évidemment, mais j'ai pigé le truc depuis le début : y'a rien à comprendre.

Les choses changent.

Maintenant, le Pélican a les cheveux courts. Il a arrêté de se les teindre. Il porte des fringues de luxe. En plus du reste, il est propriétaire de trois bars-restaurants et d'une boîte de nuit. Il s'est fait construire une maison à Las Cañitas. Il a deux voitures, une moto et un yacht. Les types qui bouffaient des grillades avec lui, ce dimanche où j'ai commencé à travailler, ils bouffent toujours des grillades avec lui.

Et ils disent jamais rien, ces types.

Le Pélican a un peu de bide, comme toujours.

Mais pas autant que Barragán. Barragán est un putain de gros lard.

Le Nabot dit quelque chose à celui qui est assis sur la table, puis il sort du hangar à son tour. Dehors, je vois la lumière d'un de ces petits matins opaques et troubles dans la pluie fine, légère, et je vois la rue, la terre mouillée, une flaque, un chien affamé qui erre dans le coin. Le Nabot marche dans la rue sans se presser, passe devant la Ford bleue et poursuit son chemin.

Impossible de deviner où il va. Il n'y a pas de bureau de tabac où acheter le journal ou des cigarettes, il n'y a pas de bar, pas de distributeur, il n'y a rien. C'est pour ça qu'il me vient une idée simple, qui confirme ce que je pensais : le Nabot sort se dégourdir les jambes, se réveiller un peu, il va pisser par exemple, ou regarder le ciel. À Puerto Apache, selon la direction où on regarde, on a parfois du mal à s'imaginer le fleuve, ou bien la ville, sous ce ciel immense et lourd. Peut-être qu'il regarde le ciel et qu'il se demande ce qu'il fout là, sous ce ciel, avec deux abrutis finis, à tabasser un mec comme s'ils savaient pourquoi. Si c'est ça, je me dis que c'est pas dans le ciel qu'il va trouver la réponse. Mais pendant ce temps-là, sans trop bouger, en faisant comme si je voulais m'asseoir par terre, je réussis à défaire un peu les nœuds de la corde avec laquelle je suis attaché à la chaise, et en un rien de temps je me retrouve les mains libres. Endormies, engourdies, je sais pas comment dire, mais libres. J'imagine que le Nabot va pas tarder à revenir. C'est pour ça que je dois faire vite.

Je me lève comme si j'étais encore attaché à la chaise, je la maintiens serrée contre mon cul, je fais quelques pas en me balançant, juste assez pour que le mec à la gueule de loup montre enfin un signe d'intelligence.

« Qu'est-ce qui t'arrive ? » qu'il me demande.

Je réponds pas, je veux qu'il croie que je suis sonné, K.-O., *kaput*. Et je fais un pas de plus.

« Qu'est-ce que tu veux ? » insiste le Loup.

Ce n'est pas la bonne question à poser.

Je ne peux pas y répondre.

Alors je laisse échapper un grognement, comme si je ne savais même plus parler.

Il me regarde, le Loup, mais il ne rit plus. Il est encore accroché à la table comme si c'était une planche au milieu de la mer. Et il me regarde. Il a un regard bizarre. Un regard fourbe. Comme ces types qui te dévisagent pour lire dans tes pensées. Alors il relâche son attention, ou alors il fait un mauvais calcul, et il ne se rend pas compte que la distance se réduit, il croit peut-être que je suis un zombie et il ne voit pas que je me suis rapproché. Il est un peu à la ramasse. Il dit :

« Retourne dans ton coin, mon coco. Allez, va t'asseoir. »

Celui-là m'appelle « mon coco ».

Je préfère encore « ma poule ».

Et aussitôt, je lui balance la chaise, je saute, je fonce sur lui, je lui tombe dessus, avec la chaise, contre la table, on roule par terre. Il essaie de s'asseoir sur moi mais je me cabre, je l'éjecte, et avec mes deux mains je lui envoie une mandale en pleine face, puis une autre, je lui flanque un coup de genou, et pour finir je lui explose la chaise sur le crâne.

Le type est allongé par terre. Il ne bouge presque pas. Il a des spasmes. Il a une jambe qui tremble, une de ses mains aussi. Il gémit et ça me fait penser aux pleurs d'un bébé. Aux pleurs des bébés quand ils sont à bout de nerfs, fatigués de pleurer, mais qu'ils ne peuvent pas s'arrêter.

Je tâte les poches du Loup et je trouve un flingue. Pas de la camelote.

Je le prends.

Et je pars à la recherche du Nabot.

C'est un miracle qu'il ne soit pas réapparu plus tôt, je me dis.

Je marche dans une rue bordée de quelques maisons et d'arbustes rachitiques. Tout le monde dort à poings fermés. Le chien affamé me suit. Il a la langue qui pend. Il s'arrête pour boire dans les flaques d'eau, puis il court me rejoindre. Peut-être qu'il croit déjà qu'on est amis.

Je traîne un peu la jambe.

Je ne vois que d'un œil.

Je ne sais pas pourquoi, je prends un petit chemin de traverse, à gauche, un de ces passages que font les gens à force de couper pour aller d'un point à un autre. Et soudain, je tombe sur une friche. Avec des herbes hautes, touffues. C'est l'idéal, je me dis. Je m'enfonce, je me fraie un chemin comme je peux dans les broussailles. Je me rappelle que la cousine de ma vieille, à Rosario, m'a expliqué un soir ce que c'est qu'une intuition. Bon. Donc là, j'ai une intuition. Et j'ai l'impression que je vais droit vers mon intuition. Si on entre par le nord, dans cette friche, au bout de quarante ou cinquante mètres on tombe sur une petite clairière, avec de l'herbe rase, où des mecs se retrouvent parfois pour se branler. Aujourd'hui, par ce matin triste sous la pluie fine, je cherche cette clairière en arrivant par le sud. Et je la trouve. Et mon intuition est là, au milieu de la clairière : le dos tourné, occupé à lire les feuilles détachées et humides d'une revue qu'il a dû trouver dans le coin, le Nabot est devant moi. Il est accroupi, le pantalon baissé. Il lit, ou il regarde les photos.

Je lui dis de ne pas faire un geste, de ne pas bouger d'un poil, de se tenir tranquille pendant que je m'approche de lui. Je lui passe le flingue sous les yeux, après quoi je lui pointe le canon sur la nuque. J'espère qu'il comprend bien la situation.

« C'est ton jour de chance, je lui dis. Tu vas partir sans une égratignure. Mais par contre, tu vas parler. »

Tout à coup, je découvre que j'ai un allié. Je sais pas encore si on est amis. Mais il me file un coup de main. Le chien affamé enfonce sa tête entre les fesses du petit gros. Le type sursaute.

« Reste tranquille, je lui dis. Pas un geste, ma poule. »

Le chien errant au poil sombre se met à lécher le Nabot. À l'entrejambe. Il le fait avec l'insistance qu'ont les chiens quand ils lèchent quelque chose. On ne sait pas à quoi ça leur sert ni combien de temps ils vont y passer. Le mec frémit, tremblote, gémit ou sanglote, j'ai pas envie de savoir de quel genre de convulsion il s'agit. Ces types-là n'ont pas d'âme, et quand ils ont la trouille, ça n'est rien d'autre que de la trouille. Alors je lui lance :

« Qui est-ce qui t'envoie ? »

Il fait encore plus de bruits avec sa bouche.

Je lui donne des petits coups sur la nuque avec le canon du pistolet.

Et d'un coup je sens l'odeur.

J'arrive pas à y croire.

J'ai envie de vomir.

Mais la preuve est là, bien en vue.

Le Nabot a perdu sa dignité, son courage, sa frime. Il n'a pas pu se retenir.

Le chien s'éloigne, aboie, tourne en rond.

« Qui est-ce qui t'envoie ? » je répète.

Et j'appuie le bout de mon flingue sur sa tête, jusqu'à ce qu'il plonge son nez entre ses jambes.

« L'Ombú », il me dit.

Je n'ai pas besoin d'y réfléchir à deux fois pour supposer qu'il dit la vérité.

« Remonte ton froc », je lui dis.

Il se lève sans s'essuyer, et il remonte son futal.

« Rends-moi mon couteau. »

Il ne me regarde pas. Il me tourne le dos. J'imagine qu'il ne peut pas y avoir autre chose que de l'humiliation dans ses yeux. Des larmes. Et de la rage. Il tend son bras en arrière et me rend le couteau.

« Emmène ton collègue avec toi, je lui dis alors. Fous le camp. Disparais. »

Le Nabot se barre par le chemin entre les broussailles.

« Et torche-toi le cul ! » je lui crie.

Après ça, j'entends le bruit du moteur de la Ford qui démarre, et ils partent dans la foulée. Les emmerdes ne font que commencer.

Mon t-shirt est dans un sale état, recouvert de sang et de boue. J'ai le visage gonflé, les lèvres fendues, je fais peur à voir. Mais ça ne me viendrait pas à l'idée de penser que je fais pitié. À Puerto Apache, c'est rare que quelqu'un fasse pitié. Je pense que si je rentrais à la maison dans cet état, Jenifer n'aurait pas pitié de moi. Elle me poserait des questions : qu'est-ce qui t'est arrivé ? Qu'est-ce qu'ils t'ont fait ? Des questions qui n'attendent pas de réponse, mais ça veut pas dire non plus que Jenifer n'en ait rien à foutre. La sensibilité, ici, c'est un truc que chacun garde pour soi, on peut quand même pas se permettre d'exhiber constamment nos failles.

Je regarde l'heure.

Il est très tôt.

Les seuls qui doivent être debout, c'est ceux qui distribuent les journaux et ceux qui ne sont pas encore couchés.

Je vais à la lagune. Je me déshabille et je me mets à l'eau. Si quelqu'un croit que la Réserve écologique s'appelle comme ça parce que l'eau est pure, il se met le doigt dans l'œil. L'eau de la lagune, on dirait de l'eau pourrie. Elle est gélatineuse, pleine de bestioles et de moustiques, et il paraît qu'elle est contaminée. Moi, je sais pas. Mais c'est pas de l'eau propre, même si c'est mieux que rien pour se débarbouiller. Je fais une boule avec mon t-shirt et je le plonge dans l'eau le plus profond possible. J'essaie de nettoyer le sang séché que j'ai sur le visage et sur les mains. J'ai mal aux côtes, à la tête, aux jambes. Ensuite je sors de l'eau et je me sèche comme je peux. J'enfile mon pantalon et mes baskets. Je n'oublie pas mon couteau ni le pistolet du Loup, un flingue qui doit coûter cher.

Je rentre chez moi.

En chemin, je passe à côté du Palace. Les lumières sont allumées, au troisième étage. On entend les bruits d'une fête. Un peu de musique. Deux ou trois voix qui résonnent. Le rire alcoolisé d'une fille. Et quelqu'un qui pleure. Un homme qui parle, qui raconte quelque chose, et qui pleure. Les excès d'une nuit sans repos font des ravages dans les cœurs.

Toti n'est pas rentré. Il pionce avec la lumière allumée. Et aujourd'hui, il n'y a pas de lumière chez lui.

Jenifer est plongée dans ses rêves.

Les enfants roupillent comme des petits anges.

Heureusement.

Je prends juste le nécessaire et je m'en vais. Dans la rue, la pluie fine me pique à nouveau le visage, les plaies, les lèvres enflées. J'ai enfilé un t-shirt propre et une veste. J'ai mis le flingue du Loup avec mon fric. Dans ma poche arrière, j'ai mon couteau. C'est plus un porte-bonheur qu'autre chose. J'ai laissé quelques pesos à Jenifer, au cas où. Je serai sûrement de retour ce soir. Mais faut pas qu'ils aient faim. J'ai pas mal de thunes. J'ai mis la main dans la boîte que je cache dans la penderie et j'ai trouvé des grosses coupures. Je savais pas que je dépensais aussi peu, ces derniers temps.

Je fais pas les comptes.

Je vis au jour le jour.

J'ai pas de vices. Ni de goûts de luxe.

Je suis un pauvre type.

L'Ombú

UN jour, des gens de la télé débarquent. Ils sont trois : deux types et une nana. Ils arrivent dans une camionnette blanche avec le logo de la chaîne placardé un peu partout. Ils descendent et ils essaient d'embobiner les gars qui gardent l'entrée. Ils disent qu'ils veulent faire un reportage, filmer un témoignage. Les gars leur disent que non, qu'ici on ne fait pas de reportages. Les autres insistent. Il faut faire attention avec ces trucs-là. Ça peut faire tourner le vent dans le bon sens ou dans le mauvais. Ça dépend. Mais on comprend jamais bien de quoi ou de qui ça dépend. Finalement, les gars disent aux journalistes qu'ils vont se renseigner et qu'ils leur donneront une réponse le lendemain. Les journalistes disent que c'est d'accord, et ils s'en vont. « Elle est connue, cette meuf », dit un des gardiens quand ils vont raconter l'histoire à la Première Junte. « Elle est plutôt bien roulée », ajoute un autre. « Avant, elle faisait une émission de je sais plus quoi. Elle a même gagné un prix de journalisme, le Martín Fierro.

– Ah tiens, dit mon vieux.

– À quoi ça sert, la télé ? demande le Tordu.

– À se faire des amis, dit Garmendia. Même si ça dure pas... »

Deux jours plus tard, on finit par avoir une réunion avec des journalistes, des avocats, d'autres mecs de la chaîne et la Première

Junte. On discute un moment, on débat un peu, on boit du café, on fume, on fait des tours de table, les types de la télé demandent une salle pour parler tranquillement, puis ils reviennent, on négocie encore un moment, et au bout de deux heures, on commence à faire des déclarations, des pactes, des promesses, on signe des accords, des conditions et des contrats. Ces choses-là, tout le monde est d'accord, il vaut mieux les mettre par écrit.

C'est pour ça qu'après, Garmendia dit qu'il y a eu des accords préalables. Je sais pas d'où il les sort, ces idées. Mais quand j'y repense, je me dis qu'il a pas tort.

Les caméras arrivent un jeudi matin, à huit heures et demie. Un camion de la chaîne se gare sur l'avenue Costanera, et une camionnette entre dans Puerto Apache. Le Tordu, accompagné de quelques gars dans une Renault déglinguée, guide la camionnette dans les rues qu'on a construites, sur l'axe principal et dans les ruelles plus anciennes. Les gens de la télé cherchent un bon emplacement pour filmer. Nous, on leur montre ceux qu'on a choisis. Le Tordu connaît les instructions par cœur. Il y a des endroits auxquels ces types n'auront jamais accès. On verra si on les laisse faire des « extérieurs » où ils veulent, comme ils disent. On est quoi ? Des lèches-culs, des abrutis qui veulent leur quart d'heure de célébrité ? Non, messieurs. On n'est pas nés de la dernière pluie, nous. C'est pas parce qu'on pense que c'est une proposition intéressante qu'on va leur dérouler le tapis rouge.

Ils vont pas nous la faire à l'envers.

Ils n'arriveront pas à dresser les gens contre nous.

Ils ne trouveront pas de linge sale. Ici, on le lave en famille.

Il y a bien plus de merde dans d'autres coins de la capitale et personne ne va y fourrer son nez. Sans vouloir offenser personne, bien sûr.

Vers neuf heures et demie, on arrive enfin à se mettre d'accord. Les plans fixes en extérieur seront tournés en face de chez Garmendia. Les Betacams pourront se déplacer dans les rues et les endroits, choisis d'un commun accord. Les gens décident s'ils veulent passer à la télé ou pas. Personne n'est obligé de répondre aux questions. Celui qui a envie de parler parle, et celui qui a envie de se taire se tait. Ceux qui dirigent les opérations, à ce stade-là, c'est les techniciens et les journalistes. C'est plus facile de discuter avec eux qu'avec les avocats, les producteurs, tous ces petits coqs qui ont le pouvoir.

« Ces mecs font du trafic », dit Garmendia.

Mon vieux, le Tordu, Madame Jeanne, Sosa, Toti, Cúper, Anchorena et les autres figures locales le regardent, surpris.

« Du trafic d'influence, les gars, précise Garmendia. Vous entendez le mot trafic et vous, vous voyez tout de suite défiler les paquets de coco à la queue leu leu. Leur truc à eux, c'est le trafic d'influence. Rends-leur un service et ils t'obtiennent un job à la con sous-payé. Ce genre de choses.

– Ah », dit Anchorena.

Anchorena[1], on l'appelle comme ça parce qu'il raconte qu'il avait des terres, vers Chascomús, et des vaches. Il parle de « têtes de bétail ». « On avait des terres et je sais plus combien de têtes de bétail », on raconte qu'il a dit, une fois. Comment on allait l'appeler, Hormiga Negra[2] ? Finalement, c'est « Anchorena » qui est resté. Il est content, il aime bien. Aujourd'hui, il a plutôt un penchant pour les cartes et le pinard. Il gagne sa croûte en jouant au *truco*[3] dans le bar de López. On en reparlera, du bar de López.

Donc une fois le plan extérieur choisi, les mecs de la télé descendent tout leur bazar de la camionnette : trois caméras fixes, les projecteurs, un parapluie en tissu argenté pour renvoyer la lumière ou un truc comme ça. Des caméras portables. Des micros. Des câbles. Des outils. Des appareils. Une petite table, un miroir,

---

1. Nom d'une célèbre famille de propriétaires terriens en Argentine au XVIIIᵉ siècle.
2. Le gaucho Hormiga Negra a inspiré la littérature gauchesque, qui reprend l'archétype historique du gardien de bétail épris de liberté.
3. Jeu de cartes très populaire en Argentine, basé sur le bluff.

et deux valises – qui contiennent le matos de la maquilleuse, comme on l'apprend juste après.

Quand le mot « maquilleuse » est prononcé, plus d'une gonzesse se porte volontaire pour passer à la télé.

« Non, pas toi, dit mon vieux à la grosse Susana. Toi, tu n'apparaîtras pas à la caméra, ni maquillée ni à poil.

– Et pourquoi pas ? » elle demande, vexée.

Mon vieux ne lui répond pas. Il lui ordonne de reculer avec un signe de la tête.

C'est clair que mon père maîtrise déjà le langage technique, « apparaître à la caméra ». Garmendia renchérit :

« Alors peut-être qu'on peut disparaître à la caméra ?

– C'est possible », dit Sosa.

Et il ne prononce pas un mot de plus. Sosa le Moustachu était militant *piquetero*[1] à Jujuy. Paraîtrait que c'est Perro Santillán[2] qui l'a viré du mouvement.

Une heure plus tard, un des techniciens dit que ça y est, on peut tourner. Le réalisateur relève la tête. Il porte une casquette de baseball et de petites lunettes aux verres teintés.

« Ça y est, répète le technicien. On peut tourner. »

Le réalisateur passe le matos en revue. Il prend son temps, le mec. Il se promène entre les caméras, les câbles, les objectifs. Il regarde d'un côté et de l'autre. Il donne des ordres à un assistant. L'autre va déplacer de trois centimètres la chaise où sera assis Garmendia. Le réalisateur enfonce sa casquette. Comme s'il voulait dire OK.

Alors la nana qui présente l'émission demande à mon vieux, au Tordu et à Garmendia d'aller s'asseoir. Au début, ils seront assis tous les trois. Après on les verra debout, en train de marcher, de faire quelque chose, on ne sait pas encore quoi. « Moi, je

---

1. Participants aux mouvements sociaux contestataires nés en Argentine dans les années 1990, qui bloquent les axes de communication.
2. Carlos Nolasco Santillán, dit « el Perro » : leader syndicaliste de la province de Jujuy.

ferai rien, dit mon vieux, je suis pas un clown. » Anchorena est d'accord. Il lui dit : « Vous avez raison. »

Le maquillage, c'est encore un autre sujet. Ça non plus, ça plaît pas au vieux. Il est fier. Une vraie tête de mule.

« J'en ai pas besoin, qu'il dit à la fille qui maquille.

– Un petit peu de poudre, c'est tout, elle lui dit en lui montrant un pot couleur crème. Pour éviter que ça brille. »

Tout le monde ne comprend pas bien l'idée d'éviter que ça brille. Mais quand les gens entendent le mot « poudre », quelques rires fusent dans l'assemblée.

Mon vieux se contente de passer sa main dans ses cheveux gominés. Il est convaincu qu'il a de l'allure à revendre, et que chez lui il n'y a rien à éviter.

Garmendia et le Tordu se laissent faire comme si c'était un jeu, une fête. Ils s'assoient sur la chaise de la fille, en face du miroir, et ferment les yeux : les pinceaux, cotons, bases, ombres et lumières adoucissent leurs traits bourrus. Les mecs et les nanas qu'ils vont filmer plus tard avec les Betacams, on ne les maquille pas.

« Eux, je les veux au naturel, dit le réalisateur.

– Je vais t'en foutre, moi, du naturel », murmure Sosa, au deuxième rang des curieux. Et les manches du blouson en cuir remontées jusqu'aux coudes, la casquette de baseball enfoncée jusqu'aux oreilles, les jambes écartées, les godillots plantés dans la terre molle, le réalisateur donne le signal. Ils commencent à tourner.

La nana qui présente l'émission dit alors que nous voici en face des trois hommes qui représentent les on ne sait combien de familles qui se sont installées sur les vingt hectares environ de la Réserve, fait qui n'a pas été signalé immédiatement mais plus tard, suite aux dénonciations de particuliers et d'entreprises installées, ou sur le point de s'installer, à côté des docks du vieux port de Buenos Aires. Et alors la nana demande, enfin je crois – parce que personne ne lui répond –, depuis quand les lieux sont occupés.

Le Tordu, Garmendia et mon vieux restent muets comme des carpes. Ils regardent la nana comme s'ils étaient intimidés, ou intempestifs, je sais pas. Peut-être qu'ils ne se sont pas mis d'accord sur qui répondrait en premier. Peut-être qu'ils ne comprennent pas bien de quoi il s'agit, au fond. Qui sait. Ce qui est sûr, c'est qu'un silence s'installe dans lequel on entend le silence, et au-delà du silence, des rires lointains de gamins, des aboiements, un moteur...

Tout à coup, je me demande d'où vient le mot « intempestif », parce que j'ai l'impression que ça colle pas bien, que je sais pas vraiment ce que ça veut dire. J'ai pas envie de raconter des conneries, non plus. Quoi qu'il en soit, je les regarde, tous les trois, ces trois types qu'on appelle la Première Junte, et dont un se trouve être mon père, et je me dis qu'après tout, le mot « intempestif » ne leur va pas si mal.

Le réalisateur leur dit de couper. Il s'éloigne de son poste, allume une clope, enlève sa casquette de baseball et rabat les trois poils qui lui restent sur le caillou. Le soleil fait des reflets sur les verres de ses petites lunettes teintées. Il a l'air un peu caractériel, le type, il s'agite dans tous les sens et, à sa manière de bouger, je me dis qu'il fait un peu pédé. Je pourrais pas le jurer. Et ce que j'ai appris par la suite, c'est une autre histoire.

Pendant la pause, la nana parle avec le Tordu, avec Garmendia et avec mon vieux. D'ici, on n'entend rien du tout, donc on imagine qu'ils se mettent d'accord pour savoir si c'est à son tour ou à leur tour de parler, des détails comme ça. La nana revient vers la chaise que Garmendia lui a prêtée pour qu'elle ne s'asseye pas sur un petit fauteuil comme ceux des gens qui donnent des ordres sur les tournages. Comme ça tout le monde a la même chaise. Elle fait un signe au réalisateur, et le réalisateur jette sa clope, remet sa casquette, retourne à sa place et donne le signal : ils reprennent le tournage.

La nana répète plus ou moins ce qu'elle a dit avant, et quand elle termine son speech, un nouveau silence s'abat.

Alors elle dit :

« Depuis combien de temps est-ce que vous occupez la Réserve ? »

Encore un silence.

Le réalisateur coupe.

La nana reprend la conversation avec le Tordu, Garmendia et mon vieux. En fait, mon vieux ne parle pas. Il écoute. Ce sont les autres qui parlent. Un peu plus loin, le réalisateur continue à faire les mêmes choses qu'avant. C'est-à-dire qu'il enlève sa casquette, il fume, il lance des jurons. Il revient à sa place et donne le signal pour la troisième fois, et pour la troisième fois l'équipe commence à filmer.

La nana répète son speech avec quelques variantes, et quand elle arrive à la fin elle ajoute une dernière modification et demande :

« Ça fait combien de temps que vous vivez ici ? »

La vérité, c'est qu'un autre silence se produit à nouveau. Mais cette fois, on devine qu'un de ces trois-là va dire quelque chose. Derrière ce silence, on entend des rires de gamins, des aboiements, un moteur. Garmendia se racle la gorge, les mains appuyées sur les genoux, et dit enfin :

« On vit ici depuis le siècle dernier. »

La bagnole de Cúper est garée devant chez lui. Je la fais démarrer avec les fils de la batterie et je pars avec. Quand je prends sa bagnole, il s'en rend compte tout de suite. Mais il s'en fout. Celle que ça énerve, c'est la Mona Lisa. Une vraie hystéro, celle-là. Elle fait des scènes pas possibles à Cúper pour la moindre connerie. Par exemple quand je prends la bagnole. C'est elle qui rembourse le crédit. L'apport de départ, c'est Cúper qui l'a versé. Mais la Mona Lisa raconte que l'apport, c'était trois cacahuètes, et que le crédit, c'est elle qui se le farcit et que c'est ça qui compte. Elle a peut-être raison. Mais ça vaut pas le coup de se mettre dans des états pareils. « Je travaille, moi, avec cette voiture », qu'elle répète à Cúper. Pas lui, il travaille pas. Quand la Mona Lisa se met dans ces états-là, Cúper la laisse tranquillement faire sa crise. Après ça, il l'assied sur ses genoux, il lui met la main sous la jupe et il lui caresse la fente. La Mona ne peut pas résister à Cúper. C'est plus fort qu'elle. Elle continue un peu à se plaindre, elle lui dit que c'est un imbécile, mais sa voix et ses nerfs commencent à se calmer, et finalement elle se laisse faire. Elle peut dire ce qu'elle veut, mais elle kiffe.

Un soir d'été, je les ai vus s'engueuler sous l'auvent de la maison. C'est pour ça que je sais ce que je sais.

Elle est toute neuve, la bagnole de Cúper, ou de la Mona Lisa, peu importe. Une de ces Fiat Mini dans le genre pot de yaourt comme on en voit maintenant, mais elle roule. Elle sent encore le neuf. Je sors de Puerto Apache avec, je rejoins l'avenue Córdoba en deux minutes et je m'engage. Dans ce sens, il n'y a pas trop de circulation. Tout le monde descend vers le centre-ville, le quartier des affaires, pour taffer, trimer, faire du business ou arnaquer les gens. Chacun son truc.

L'Ombú[1], ils l'appellent comme ça parce qu'il a une grosse tête, et des cheveux longs qu'il attache en palmier, une sacrée touffe, peignée avec un râteau, comme dirait ma vieille. Mais ce genre de mauvaise herbe, même avec un râteau, c'est difficile à dompter.

À force d'aller au resto du Pélican, de bouffer des grillades avec lui et les deux types qui sont toujours là, à force d'écouter les uns et les autres, mais surtout Marú, on finit par apprendre des trucs. L'Ombú, c'est celui qui s'assied toujours à gauche du Pélican. Il aime pas les tomates. Dans la salade, il ne mange que la laitue et les oignons. Il ne dit jamais rien, l'Ombú. Il bouffe, il fume, il regarde le foot à la télé, qui reste toujours allumée. Je sais que l'Ombú vit dans un hôtel, un meublé ou une pension près de la place Italia. Il y a des infos qui restent gravées dans un coin de ma tête comme si je les écrivais dans un carnet

---

1. L'*ombú* est un arbre typique des pampas d'Amérique du Sud, au tronc imposant et pouvant mesurer jusqu'à quinze mètres de hauteur.

invisible bien rangé dans un tiroir. Mais quand j'ai besoin d'une information, j'y pense et elle apparaît. L'autre type n'habite pas au même endroit. Il habite dans le quartier d'Almagro. Il est moins folklo. Il s'appelle Tony. Pour l'instant, c'est pas lui qui m'intéresse. Le mec à la réception du petit hôtel de la rue Thames est plutôt désagréable. Tous ceux qui travaillent dans ce genre d'établissements miteux, vers la place Italia, sont comme ça. Grands, baraqués, un peu attardés. Mais ils peuvent te broyer les os du crâne d'une seule main. Je gare la caisse rue Gurruchaga, à vingt mètres de la rue Santa Fe. Presque en face du commissariat 23. Je sais pas pourquoi, j'ai l'impression que c'est mieux ici qu'ailleurs. Je traverse quelques rues, j'arrive à l'hôtel, je monte au premier étage, je croise le réceptionniste, le concierge, le portier ou je ne sais quoi, et je lui demande si l'Ombú est là.

« Non, il me répond. Il n'est pas là. »

Et il regarde mon œil tuméfié.

Je lui montre un billet de vingt pesos.

« En fait, ça me dit rien, comme nom, l'Ombú, qu'il s'entête. Je comprends pas. »

Je regarde la petite horloge accrochée au mur, derrière le grand baraqué. À cette heure-ci, l'Ombú devrait être en train de pioncer. Ni lui ni Tony n'ont le droit de consommer. Ça leur est strictement interdit. Un peu d'alcool, pas trop, et un pétard tous les trente-six du mois. C'est tout ce que le Pélican leur autorise. Pour le boulot, il veut qu'ils soient toujours clean, bien reposés, bien réveillés. Je rajoute deux billets de dix. Le grand baraqué jette un coup d'œil au fric et continue de lire son journal. Il ne sait pas lire. Il fait semblant. Ce mec ne voit pas tous les jours quarante pesos lui passer sous les yeux. Mais il ne bouge pas.

« Un grand, je lui dis en faisant l'idiot, avec les cheveux comme ça. »

Je mime les cheveux de l'Ombú avec mes mains.

« Ah », qu'il dit.

Je rajoute encore un billet de dix.

« Cinquante dollars », je lui dis.

Parler comme dans les films, ça ouvre toujours des portes. Dans les films. Mais le mec tend la main. Il a des poils noirs sur les phalanges.

« On s'est jamais vus, qu'il me dit. Mets-toi bien ça dans le crâne. Tu t'es faufilé, je sais pas comment. Peut-être que j'étais dans la cuisine. Ou aux toilettes. On en sait rien. »

Il a de la suite dans les idées, pour un mec aussi primitif.

« OK, je réponds.

– La 18, il me dit en me montrant un autre escalier. À l'étage au-dessus. Et si je te vois sortir, il va falloir que tu m'expliques comment t'es rentré et ce que t'es venu foutre ici. »

Je préfère arrêter de penser au cinéma. Ces scènes-là, dans les films, ça se passe pas toujours très bien. Je glisse les billets sous les doigts du grand baraqué et je monte l'escalier.

Le couloir du deuxième étage est une vraie porcherie.

J'arrive devant le numéro 18. On n'y voit que dalle, mais j'aperçois une petite plaque de métal recouverte d'émail blanc, avec le 18 peint en noir dessus. Une antiquité. Pas besoin d'enfoncer la porte ni rien. J'essaie, et ça s'ouvre. Ça se voit que l'Ombú ne reçoit pas beaucoup de visites. Un peu de lumière et de bruit entrent par les persiennes qui donnent sur la rue. L'Ombú est allongé sur le lit, presque à poil, et il dort. Profondément. Il flotte comme une odeur de digestion difficile.

Je jette un coup d'œil. Pour me faire une idée. Il doit bien y avoir un truc qui fera l'affaire. Mais l'inventaire n'est pas très encourageant. Il y a des fringues jetées sur un fauteuil, une armoire, une petite table et une de ces lampes que ma mère appelle encore une veilleuse. C'est un cas, ma mère. Malgré les galères de la vie, au fond, c'est resté une gamine qui parle de veilleuses et de coiffures au râteau. Je vois aussi une bouteille vide et un vase. Avec un œillet blanc fané dedans. La bouteille, c'est difficile à croire, mais c'est une bouteille de soda. Une de ces bouteilles en plastique d'un litre et demi d'une marque de supermarché. Elle est posée sur la table de nuit. Le meuble est recouvert d'une vieille plaque de marbre rayé.

J'approche ma main gauche de la tête de l'Ombú.

Je prends une grande inspiration.

J'approche ma main de son cou, et dès que je sens le contact de sa peau, je l'attrape avec force. J'enfonce mes doigts.

L'Ombú se réveille d'un coup, mais prudemment, comme ceux qui sont entraînés à sentir le danger même quand ils sont plongés au beau milieu d'un rêve torride. Il cligne des yeux. Il se passe la langue sur les lèvres. Peut-être qu'il ne s'attendait pas à ce genre de mauvaise surprise et qu'il se demande pourquoi la vie est si injuste ou si misérable. Un mec comme lui, qui a fait du business de la peur sa spécialité. Il ne bouge plus. Il reste immobile comme une grosse souche.

Je sens le battement d'une veine de son cou dans la paume de ma main.

La peau grasse de son nez et de son front renvoie un reflet pâle. Ses cheveux épais et touffus forment comme un buisson sur l'oreiller.

C'est à ce type-là que le Pélican aurait demandé de me coincer ? Et lui m'aurait envoyé les trois bras cassés dont je me suis débarrassé comme si j'étais Bruce Willis ? Moi, je suis pas Bruce Willis. Je dirais même que je suis une petite nature. Ce genre de sale boulot tombe toujours dans les mains de mecs qui ne savent pas comment s'y prendre. Des crétins, des bons à rien, des mous du genou, des mecs qui font de la gonflette. Ça craint. Mais je comprends pas pourquoi le Pélican me les a collés au cul.

Alors je pose une question simple à l'Ombú :

« Pourquoi ? Dis-moi. »

Il en croit pas ses oreilles.

Je lui montre trois billets de cent pesos :

« Pourquoi tu m'as envoyé ces demeurés ? »

Il se tait.

Je sors l'œillet du vase, je jette l'eau et je casse le récipient sur le marbre de la table de nuit pour obtenir un éclat de verre bien tranchant. J'approche le tesson de son œil gauche et je l'enfonce dans la partie supérieure de sa pommette. Un filet de sang s'écoule doucement le long de sa grosse joue, glisse derrière son oreille et vient tacher l'oreiller.

« Soit je t'arrache les yeux, soit tu me dis pourquoi. Tu gardes le fric et tu n'ouvres plus la bouche. Personne ne sera au courant. Ça sera un secret entre toi et moi. »

Si je croyais sérieusement avoir la moindre chance d'arriver à un accord de ce genre avec l'Ombú, je vaudrais pas mieux que les trois bons à rien qui m'ont tabassé.

Mais toute cette histoire repose sur un doute, ou sur une erreur.

Si quelqu'un était vraiment convaincu que je n'ai pas respecté les règles, je serais déjà mort.

J'ai l'impression que c'est la seule carte qu'il me reste à jouer.

Le risque est le même. Au pire, ils me tuent. Par sécurité. Ou parce que ces choses-là ne se font pas.

C'est pour ça que lorsque l'Ombú se décide à parler, je sais qu'il va me dénoncer dès que j'aurai le dos tourné. En fin de compte, c'est pour ce genre de choses qu'ils le payent.

« On s'est fait baiser sur une livraison de came. Il manquait de la thune.

– Qui a fait ça ? »

L'Ombú soupire. Peut-être qu'il trouve que ça serait trop d'emmerdes pour trois cents pesos. Moi pas. J'exerce une légère pression sur sa peau avec le morceau de verre. Je veux que ça lui laisse des marques. Comme les griffes d'un chat quand il t'écorche à peine, sans le vouloir. Je répète :

« Qui ? »

L'Ombú pousse un gémissement et dit :

« Je sais pas. Un politique. Un député, je crois, un conseiller ou quoi. »

Je prends toutes les précautions : soit je démêle ce sac de nœuds, soit je suis mort. C'est tout ce qui me passe par la tête.

Je lui laisse deux cents pesos. Il se plaint pas. Je me casse. Je retourne à la bagnole. Je l'ai garée en épi, dos au commissariat, un peu en diagonale en direction de Güemes. Juste à côté de la barrière qui sépare l'espace réservé aux patrouilles.

J'allume une clope. Je pose mon bras sur le rebord de la fenêtre. Mes lèvres crevassées me brûlent. Si je les bouge un peu trop, les plaies se rouvrent et ça saigne. Dans le rétro, je vois une fille qui surveille la porte d'entrée du commissariat 23. Elle est pas très grande. Son gilet pare-balles noir n'arrive pas à aplatir tout à fait sa poitrine. Ses cheveux bruns sont noués en tresse. Toutes les nanas de la police fédérale ont les cheveux courts ou attachés. Ça doit être le règlement. Un agent arrive à moto et monte sur le trottoir. Il parle avec la fille. Ils rigolent un peu. Le mec porte un uniforme en tissu noir, cette matière un peu cartonnée que les motards utilisent aujourd'hui. Une paire de Ray-Ban masque son regard. Il tapote machinalement sa cuisse avec ses gants. La fille est pas extraordinaire. Mais elle laisse entrevoir quelque chose, l'idée ou la promesse obscure de quelque chose. J'imagine qu'elle doit plaire à beaucoup de mecs.

Je sais pas quoi faire.

À côté du commissariat, il y a un bar. Je bouge le rétroviseur extérieur et je vois une vitrine. Le bar est bondé. Les gens prennent leur petit-déjeuner, un café, lisent les journaux, fument, passent des coups de fil. De l'autre côté de la rue Santa Fe, on aperçoit les arbres du Jardin botanique. C'est une belle journée.

Je me dis que tout ce qu'il me reste à faire, c'est appeler Marú.

Je regarde l'heure.

Elle va me tuer.

Mais je n'ai pas d'autre solution.

Je sors mon portable et je l'appelle.

Je vois un mec dans le rétroviseur en train de mastiquer un croissant la bouche ouverte. Il trempe son croissant dans la tasse posée en face de lui et mord dedans. Je pourrais pas le jurer, mais je crois qu'un filet de café au lait lui coule d'un coin de la bouche.

Alors que je m'imagine déjà tomber sur le répondeur, Marú répond. Elle a la voix endormie et la mauvaise humeur du matin. Je lui dis que je suis dans la merde et que j'ai besoin de son aide. Elle me pose aucune question. Elle me dit de venir chez elle. Elle n'hésite pas une seconde. Elle m'engueule même pas.

« Viens chez moi », qu'elle me dit.

Il n'y a pas à discuter.

Marú, c'est Marú.

Je jette ma clope. Je démarre la bagnole. Je reviens sur la rue Güemes et sur la rue Thames, je passe à côté de l'hôtel de l'Ombú et j'arrive sur l'avenue Sante Fe. Sans me presser. Au moment où je croise la rue Gurruchaga, la fille postée à l'entrée du commissariat 23 me regarde passer de la même manière qu'elle regarde passer, je me dis, des centaines d'idiots inoffensifs accrochés au volant de leurs petites autos tamponneuses. Comme si tout ça n'était qu'un grand parc d'attractions.

La télévision

LE Tordu dit que dans la vie il a connu des hauts et des bas, comme tout le monde, mais que maintenant il vit dans un endroit comme il faut.

« Tout le monde a besoin d'un endroit pour vivre, il ajoute.

– J'ai entendu dire que vous étiez un homme aux idées progressistes », dit la fille de la télé.

Le Tordu opine en silence.

« Un homme de gauche, » insiste la fille.

Le Tordu fait non de la tête.

« Ici, on n'est pas des gauchistes, qu'il dit. Par exemple, moi, j'aime bien Fidel Castro. Mais Maradona aussi, il l'aime bien. Et personne ne raconte que Maradona est communiste, pas vrai ?

– Non, personne », répond la journaliste.

Le Tordu tourne la tête, il regarde Garmendia, il regarde mon vieux. Garmendia se frotte les mains. Il fait toujours ça. Il a les mains sèches et rugueuses, comme s'il travaillait la terre. Maintenant, à cause de sa maladie, il ne travaille plus. Il fait partie de la Première Junte, c'est tout. Mon vieux allume une autre cigarette. Une fois, il a dit une phrase qui m'a marqué. Y'avait quelqu'un à la télé qui parlait du tabac, du cancer et de ce genre de trucs. L'émission s'est terminée, et ma vieille, qui vivait encore avec nous, lui a demandé quand est-ce qu'il avait l'intention d'arrêter de fumer. Et mon vieux a dit : « Moi, c'est pas la clope qui va me tuer. » Cette phrase, je me rappelle, elle est restée en suspens, comme une promesse ou un présage. À ce moment-là, une des caméras zoome sur lui, et sur l'écran à côté du cameraman, je distingue d'ici la tête de mon vieux en gros plan, la clope au bec, les lèvres serrées sur le filtre. Je vois ses yeux gris pendant qu'il écoute ce que dit le Tordu et qu'il regarde à l'horizon, comme si ses pensées voguaient au loin, là-bas, indifférentes aux maladies, aux magouilles ou à la politique.

C'est pour ça que le Tordu dit qu'on raconte n'importe quoi sur nous, qu'ici ce serait un repaire de délinquants, un nid de voyous, d'alcooliques et de drogués, qu'on serait un ramassis de gauchistes, de feignants, de racailles. Et c'est pas vrai, qu'il répète. C'est pas impossible qu'il y ait des chiffonniers, des ferrailleurs, des mendiants hongrois. On sait pas, ça se pourrait, même s'il en a jamais vu, dit le Tordu en haussant les épaules, mais la vérité c'est que Puerto Apache, c'est aussi des ouvriers, des maçons, des cheminots, des employés municipaux, des chauffeurs de taxi, des serveurs, des vendeurs...

« On est, je sais pas, mille, deux mille, je sais pas combien on est, il dit. On est plus nombreux qu'avant, mais on vit pas les uns sur les autres. On est réglos. Dans le bâtiment qu'on a construit près de la Lagune aux mouettes, on donne un toit et à manger pendant un temps à ceux qui se retrouvent sans boulot, ou ceux qui arrivent d'ailleurs parce qu'on les a foutus dehors et qu'ils se retrouvent à la rue. Il n'y a rien de plus absurde ni de plus injuste que la réalité, vous savez. »

Un silence flotte.

On entend des cris de gamins, des aboiements, le bruit d'un moteur.

Qui a dit que le Tordu ne savait pas parler ?

« Et vous, vous venez d'où ? » demande la nana qui mène l'interview.

Les caméras font des va-et-vient. Les mecs portent les caméras à l'épaule et se déplacent en regardant par leur viseur ou un
truc comme ça, et ils filment. Ils filment un peu de tout. Des
maisons, des fenêtres, des vieux vélos, des visages d'enfants,
de femmes. Des fontaines publiques, des flaques d'eau, une
Peugeot 403 blanche à l'abandon avec une roue crevée, en face
du bar de López. Attablés à l'entrée du bar, Anchorena et trois
autres vieux jouent au *truco*. De temps en temps, ils se rincent le
gosier avec une gorgée de vin. C'est encore tôt pour commencer à
boire. Les vieux regardent l'agitation qu'il y a autour des caméras,
et ils continuent à jouer avec des cartes usées, des cartes avec des
points noirs, rouges et blancs au dos.

« Ici, ça n'est pas un bidonville, j'insiste, mademoiselle. On
voudrait que ça soit bien clair. Ici, c'est un espace organisé. On a
des règles de vie commune et de voisinage, dit le Tordu. Vous ne
le croirez peut-être pas, mais ici il y a une façon de faire et d'organiser les choses, et il y a des responsables pour vérifier que tout
se passe bien. Les responsables, c'est nous, il dit en montrant
mon vieux, Garmendia et lui-même. On n'aime pas dire qu'on
fait la loi. Mais ici, il y a des règles. Et on vient d'un peu partout.
Il y a des gens qui viennent de bidonvilles, c'est vrai. Ce sont
des gens bien. Par exemple Cúper, un jeune qui était vendeur
de fruits dans la zone ouest et qui va commencer à travailler
dans une boîte de distribution de légumes pour les restaurants,
il vivait dans un de ces blocs qu'ils ont démolis à Fuerte Apache.
Susana, une fille qui travaille au service administratif de l'hôpital
Borda, vivait à Ciudad Oculta. Elle s'est mariée il y a trois mois
avec un gars qui vit ici. Garmendia, dit le Tordu en le remon-
trant du doigt, qui s'occupe d'écrire les règlements, vivait avec
sa famille à Castelar. Ils se sont fait expulser et ils sont allés à
San Petersburgo, dans le sud-ouest. Vous voyez ? Après ça, ils
sont venus à la capitale. Ils ont vécu un moment dans la rue. Un
jour, ils ont atterri à la Villa 31. Pour un temps. Et puis ils sont
arrivés ici. »

À ce moment-là, le Tordu marque une pause. Il regarde la nana de la télé droit dans les yeux, et il répète :

« On est pas des menteurs, nous, mademoiselle. »

Environ deux semaines plus tard, ils ont diffusé le programme, et alors on a compris des choses sur la télévision : personne ne parle plus de deux ou trois minutes d'affilée, des trucs qui se sont passés ou qui ont été dits avant apparaissent après, les choses se mélangent, on voit la tête d'un gamin blond qui regarde la caméra juste après que Garmendia a dit qu'il faisait des petits boulots à Castelar, ou on entend la voix du Tordu et à l'écran, on voit un cheval qui boit de l'eau dans la Lagune aux mouettes.

« Comment ils font ça ? » demande un mec dans le bar de López pendant qu'on regarde l'émission.

Et quelqu'un lui dit :

« Je sais pas. Mais ça s'appelle un montage. C'est ce qu'on voit, là.

– Et comment tu sais ça ?

– Je l'ai entendu dire une fois dans *Fútbol de Primera*, mec. Tu vois comment ils montrent les matchs ? C'est un truc genre copier, coller.

– Ah », dit celui qui a posé la question. Il commande une autre bière à López, et il continue à regarder l'écran. « Alors comme ça, on est un montage. »

Il s'est arrêté de pleuvoir. Les nuages se sont dispersés. Le soleil n'a pas la force de se lever et reste au-dessus du fleuve, jusqu'à midi, puis il entre chez Marú comme un courant d'air tiède et incandescent. C'est agréable.

« Regarde dans quel état tu es, me dit Marú quand j'arrive et qu'elle voit ma tête, ma jambe qui boite. Viens, mon petit Rat. »

Elle m'aide à m'asseoir dans un large fauteuil recouvert de tissu gris, elle m'installe des coussins et elle me donne une cigarette. Elle passe ses doigts dans mes cheveux, elle caresse doucement mes plaies, mes bleus, mon nez... Je la regarde avec l'œil qui me reste et j'ai l'impression de rêver, comme toujours, quelque chose d'impossible, une vision qui s'imprime dans mon cerveau comme un éclair. Un éclair qui brûle, c'est sûr, mais qui te touche et se laisse toucher. C'est ce qu'elle est, Marú, je me dis. J'ai mal aux côtes et au visage quand je m'enfonce dans ce fauteuil. Je fume, et le soleil réchauffe mon corps.

Elle me fait du café, elle nettoie et désinfecte mes plaies. Elle embrasse mes lèvres blessées, elle pose sa tête sur mon torse, assise tout près de moi, avec les cheveux détachés, son peignoir en soie légère qui découvre ses jambes nues, ses pieds aux courbes incomparables – que je me rappelle toujours sur des talons hauts – chaussés ce matin de baskets en daim, un de ces cadeaux luxueux que lui fait le Pélican.

« Regarde dans quel état ils t'ont mis », elle répète à voix basse. Comme si elle se disait ça à elle-même, pour ne pas oublier, quelque chose comme ça.

« Il est où ? je lui demande.

– Parti.

– Où ça ?

– Je sais pas vraiment. »

Elle ne veut pas parler du Pélican. C'est toujours comme ça. Le seul truc qui me concerne ou qui devrait me concerner, apparemment, c'est qu'il n'est pas là.

« Dis-moi », j'insiste.

Je lui caresse les cheveux. Le cou. Ma main se glisse sans encombre sous le peignoir vert. Vert foncé. Sa peau, sous mes doigts, me fait trembler. Marú rit.

« À Salta. Ou à Jujuy. Je sais pas. C'est lui qui m'appelle, deux, trois fois par jour. Il y a une réunion. Tu sais bien. »

Je sais pas si je sais. Mais je comprends qu'il n'est pas là. Le Pélican n'est pas là.

Marú vient sur moi. Elle s'assied sur moi. Elle se penche. Elle m'embrasse le cou, mon œil intact, les lèvres gonflées. Elle défait son peignoir et je vois, je caresse ses seins. Elle ouvre mon jean.

Elle se lève, puis elle s'assied à nouveau. Elle se laisse tomber doucement et ça pénètre parfaitement. Logique. C'est fait pour elle.

On passe un moment comme ça. Puis on s'endort. Plus tard, le téléphone sonne. Elle parle au Pélican. Ou plutôt, c'est lui qui parle. J'imagine qu'il lui pose aussi des questions. Elle répond : oui, oui, non, oui, non, OK. Elle lui dit au revoir. Elle raccroche. Elle allume une clope. Elle regarde par la fenêtre, à travers la jungle fleurie du balcon. Elle pense à quelque chose. C'est évident. Ou elle ne veut penser à rien. On ne voit plus le soleil. Il est très haut. Entre deux immeubles en construction, de l'autre côté du quai n° 4, on aperçoit les arbres de la Réserve. Le soleil illumine la cime des arbres. C'est une belle journée, je me dis malgré tout, et je me demande si j'ai raison d'être ici ou si je devrais pas plutôt être là-bas.

Je ne peux pas empêcher que l'image de Jenifer et des enfants me traverse l'esprit. Mais je ne veux pas que cette image tourne en rond dans ma tête comme un tourbillon.

Marú prend une douche, et à mon tour j'ai droit à l'eau chaude, au savon, aux déodorants et aux parfums de luxe du Pélican. Elle rit, Marú, en me voyant sortir de la salle de bain tout nu, les cheveux mouillés, propre, couvert de croûtes de sang et d'hématomes violets. Elle me sèche les cheveux avec un séchoir chromé brillant comme un miroir, elle me peigne avec ses doigts, je sens l'odeur de son corps tout juste sorti du bain. Elle commande de la bouffe chinoise par téléphone. Je bois une bière. Marú met de la musique. Des airs mélodieux, des chansons d'amour, des disques qu'elle aime bien. Elle a pas l'air comme ça, mais elle est un peu sentimentale. Au fond, elle n'a jamais été une mauvaise fille.

C'est pour ça que je lui raconte ce qui m'est arrivé et ce que j'ai fait.

Je touche son peignoir en soie pendant que je lui raconte, et je caresse sa peau en dessous. Elle se laisse faire. Ça lui plaît. Il y a des filles comme ça. Elles ne sont pas faites pour un seul homme. Mais de tous leurs amants, elles n'en aiment qu'un seul…

Je ne sais pas de qui Marú est amoureuse.

Mais elle ne m'a toujours pas rayé de sa vie.

C'est pour ça qu'on déjeune ensemble, à trois heures de l'après-midi. Je n'ose pas manger le chop suey, ça me fout la nausée, je pense aux petits rats dans les frigos des restos chinois, et c'est fini. Je mâche comme je peux les rouleaux de printemps et je termine la bouteille de bière. Les racines de mes dents me font mal.

Je dis à Marú que je veux savoir qui est le mec qui n'a pas payé ce qu'il devait. Elle me demande pour quoi faire, mon petit Rat, oublie tout ça, ne va pas t'attirer des emmerdes. C'est des choses qui arrivent, ça n'a rien à voir avec toi, peut-être que le Pélican a pété les plombs. Mais je suis sûre qu'il sait que tu n'y es pour rien. Crois-moi. Je la crois pas. Marú, c'est Marú. Mais là, j'ai l'impression qu'elle ne pige pas. Je me fais défoncer la gueule sur l'ordre d'un des matons du Pélican, et elle s'imagine que le Pélican sait que je n'ai rien à voir là-dedans. Ça colle pas. Je lui parle de tout et de rien pendant un moment. Je lui raconte que ça m'arrive de rêver qu'un jour on partira tous les deux dans un autre pays, très loin d'ici. Elle rigole. J'oubliais, elle me dit, puis elle s'en va et revient avec un sac. C'est un cadeau qu'elle m'a rapporté de Miami, un t-shirt noir avec marqué Versace dans le dos. J'ai l'impression qu'il est trop grand pour moi, mais Marú me l'ajuste sur les épaules et s'éloigne un peu, elle m'observe et elle déclare :

« Il te va super bien, mon petit Rat. »

Je me regarde dans le miroir.

C'est moi, ce mec ?

Je m'installe dans le fauteuil, je m'endors, je fais des rêves à la con, et la nuit est déjà presque tombée quand Marú me réveille. Elle s'est habillée, elle a enfilé une jupe courte en laine et une chemise, elle a un sac en cuir noir. Des collants noirs et des chaussures à talons. Marú, avec des talons, elle a des jambes de compétition. Elle me dit qu'elle doit y aller, qu'elle doit faire le tour des bars du Pélican, elle veut que je sorte en premier, et elle me demande ce que je vais faire. J'en déduis que c'est le bon moment pour qu'elle me lâche une info. Alors je joue la montre, je lui caresse la jambe, je lui dis qu'elle y aille avant moi, que je suis fatigué, que je reste encore un peu, que je partirai plus tard. Elle ne veut pas. Je lui dis qu'elle n'a qu'à partir tranquille, que je me repose encore un moment, je me prends un whisky, je passe deux ou trois coups de fil et je m'en vais.

On s'engueule un peu. « Non, mon petit Rat, vas-y mainte-nant, sois gentil, et appelle-moi demain. » Je rigole, je lui caresse les cheveux, je deviens un peu relou, exprès, « t'inquiète pas, tout va bien, je me tire dans une heure, je veux vérifier qui est ce type, celui qui n'a pas payé, j'ai besoin de savoir qui c'est pour calmer le jeu, pour qu'ils se tiennent tranquilles au moins avec moi, Marú, ces choses-là, il faut les tirer au clair, tu sais bien ».

Elle doit vraiment partir maintenant. Elle se fâche un peu. Mais elle ne perd pas le contrôle. Et, peut-être pour couper court, ou je sais pas pourquoi, elle décide de me lâcher l'info que j'attendais.

« Le mec, c'est Monti, elle me dit. Un ancien député de la pro-vince de Buenos Aires.

– Monti ? »

D'un mouvement du bras, de la main, elle m'indique le port, l'avenue Costanera, un endroit dans cette direction.

« Walter Monti. Il traîne toujours au casino. »

J'enfile ma veste par-dessus mon t-shirt noir tout neuf et je m'en vais.

« Et vous ? demande la fille qui présente l'émission télé.

– Moi... dit Garmendia. Je viens de plusieurs endroits diffé-rents. Mais je viens avant tout de la malaria, de l'austérité, de l'in-justice. Vous n'allez pas me croire... Moi, en 1971, j'étais patron d'un garage à Avellaneda. C'est pour ça que je suis supporter du Racing. J'ai passé une bonne partie de ma vie à Avellaneda. Et maintenant, le Racing, il est comme ce pays : ruiné. Le Racing, c'était un grand club... »

Finalement, après la diffusion de l'émission, ça devient plus difficile pour les politiques, les entreprises, les bourges en général, de s'en prendre à Puerto Apache en public.

« C'est positif comme résultat », dit mon vieux un soir, au bar de López, peu avant la bataille qui va nous tomber dessus.

Et Sosa le Moustachu se permet de répliquer :

« Positif ? Mon cul ! »

Autant vous dire que ça chauffe, ce soir-là.

Mon vieux ne s'est jamais laissé marcher sur les pieds. C'est pour ça que ça le démange, quand Sosa vient lui chercher des poux.

« C'est quoi, ton problème ?

– Je sais pas. Mais j'aimerais bien savoir combien ça a rapporté, par exemple.

– De quoi tu parles ?

– Pas la peine de tourner autour du pot ou de jouer au con avec moi. J'aimerais bien savoir combien de fric a rapporté ce reportage de merde, et où est passé le pognon. »

Le Tordu s'étouffe avec une *empanada*.

Anchorena tousse et recrache du vin.

Mon vieux allume une cigarette. Il dit :

« Tu sais pas ce que tu racontes, Moustache.

– Je m'appelle Sosa », répond Sosa le Moustachu.

Je me dis que ça va bel et bien être le bordel. C'est ce que les autres attendent, dehors. Et c'est sûr que c'est pas dans notre intérêt.

« La télévision, ça a été notre cheval de Troie », dit Garmendia.

Mon vieux, Cúper, Toti, Anchorena et moi, on regarde Garmendia.

Il n'a rien d'autre à dire.

Quand la nana de la télé lui demande de raconter son histoire en détail, le garage, Castelar et tout ça, Garmendia regarde ses mains, puis on voit passer un petit basané qui traverse devant les caméras en faisant des dribbles avec un ballon en plastique, un de ces ballons avec des rayures rouges et blanches. Alors Garmendia fait bouger sa canine branlante, il passe sa langue sur ses lèvres et il dit à la fille que là-bas, en 1971-1972, tout allait bien au garage, c'était la routine, des bons et des mauvais moments, mais ça allait, jusqu'à ce que la dictature arrive, et son ministre de l'Économie avec, par-dessus le marché.

« Moi, c'est à cause de Martinez de Hoz que j'ai fait faillite », dit Garmendia.

Et il dit qu'en 1979, il ne pouvait déjà plus réparer un pneu crevé, qu'il n'avait même plus de quoi acheter des écrous, que les crédits qu'il avait pris pour rénover son matériel et rester compétitif ont fini par couler son affaire.

« Quel mot, non ? dit Garmendia. Com-pé-ti-ti-vi-té. J'imagine que ça vous dit quelque chose ?

– Oui », dit la journaliste.

C'est comme ça qu'il a dû tout brader pour des cacahuètes, même sa maison, et qu'il a fini par vivre dans le petit appartement de son fils, à Castelar. Il était déjà veuf, il n'avait plus un centime en poche et il n'a jamais réussi à retrouver du travail, un vrai travail. C'est à peine s'il a pu trouver des petits boulots, de temps en temps, des jobs minables, des bricoles, juste de quoi satisfaire ses vices, il a jamais réussi à arrêter de fumer, il dit, et il rigole, et on voit les quatre dernières dents qui lui restent, à cause de sa maladie.

Ensuite, il passe sa main dans ses cheveux poivre et sel mal coupés et il regarde discrètement autour de lui. Mon vieux hoche la tête. On dirait qu'il l'encourage. Garmendia reprend et raconte que son fils aîné a tout perdu, lui aussi, dans les années 1980, qu'à ce moment-là c'est devenu une vraie galère, ils ont touché le fond. Ils sont d'abord allés vivre à San Petersburgo, mais c'était pas facile, et un jour ils ont fini à la capitale, dans la rue. Quand ils n'ont plus supporté la rue, ils ont atterri à la Villa 31. Après ça, dit Garmendia, un peu plus tard, ils sont arrivés à Puerto Apache.

« Aujourd'hui, plus personne n'a de boulot. Ni moi, ni mon fils, ni ma plus jeune fille, qui est institutrice et qui vit à Santa Rosa avec son mari. Ni même ma belle-sœur, qui est architecte.

– Vous avez donc été SDF, dit la journaliste.

– Si c'est comme ça qu'on appelle ceux qui dorment sur les bancs publics, dit Garmendia, alors oui. Et pratiquement toute ma famille aussi. »

La fille lui demande quel âge il a et il répond qu'il a soixante-treize ans. Elle veut qu'il parle un peu de sa maladie.

Garmendia hausse les épaules.

« Moi, je parle pas de maladie », qu'il dit.

Quand on regarde l'émission, après la réponse de Garmendia, les Betacams filment des détails ou des plans panoramiques, des petits oiseaux dans les arbres, des canards sur la lagune, une femme qui lave le linge, l'horizon, la ville qui s'élève à l'ouest, les immeubles de Puerto Madero et de Retiro, cet autre visage de Buenos Aires, comme si on n'était plus dans la même ville.

C'est au tour de mon vieux.

Il a prévenu qu'il voulait bien être assis à côté du Tordu et de Garmendia, mais qu'il ne parlerait pas. C'est pour ça qu'il est quand même là. Mais une caméra le cherche, montre ses gros sourcils qui lui tombent sur les yeux, son nez droit, ses cheveux épais et blancs de vieux séducteur qui est encore dans le coup.

« Et vous ? » lui demande la journaliste.

Il tourne les yeux vers elle et lui renvoie la question.

« Quoi, moi ?

– Qu'est-ce que vous faites ? »

Il fume, mon vieux. Ça me fait une boule au ventre. Je me prépare à écouter comment il va l'envoyer balader. Mais j'entends qu'il lui répond :

« Je suis à la retraite. »

Tout le monde le dit, l'émission est un succès. Sauf qu'ici, les choses prennent une sale tournure. Depuis qu'on a regardé le reportage dans le bar de López et que Sosa le Moustachu nous emmerde avec cette histoire de fric qu'on aurait touché pour laisser les médias entrer chez nous, c'est évident que ce n'est plus comme avant. Il y a de la rancune, de la méfiance, et on dit même qu'il y aurait deux clans. Maintenant, on parle de clans. C'est dur à croire. Sosa le Moustachu voudrait tirer au clair deux ou trois choses, il voudrait que les magouilles cessent au Palace Apache, que la Première Junte soit au service de la majorité. C'est ce que pensent certains. Pour d'autres, Sosa serait un espion : ils disent que le Perro Santillán l'a viré de Jujuy et maintenant, on ne sait plus pour qui il travaille, c'est un mystère, peut-être qu'il a passé un accord avec un politique et qu'il est payé pour foutre la merde à Puerto Apache, pour que tout parte en couille.

D'un coup, ça me glace le sang.

Je me souviens de Toti.

Je me souviens quand Sosa le Moustachu s'est battu avec Toti.

Je me souviens de la gueule de Sosa écrabouillée sur le sol.

« Dis pas de conneries, lance le Tordu à Sosa dans le bar de López.

– Arrête de picoler, Moustache », lui dit mon père.

Sosa quitte le bar. Mais avant de sortir, il nous fusille du regard :
« Mon nom, c'est Sosa. »

Et il s'en va.

Il est enfin onze heures du soir. Avant ça, je vais faire un tour. Je passe par Retiro, puis je prends l'avenue Florida et j'arrive rue Lavalle. J'achète le journal, je commande un gin tonic dans un bar, je lis la rubrique football, les résultats du tiercé, un peu de politique et je vais aux toilettes. Je fous le journal à la poubelle, je pisse, je regarde ma gueule. On peut pas vraiment dire que j'ai l'air d'aller mieux. Mais j'essaie de faire bonne figure. Marú m'a pansé l'arcade avec des compresses blanches, et elle m'a mis un peu de fond de teint pour camoufler les bleus. Je regarde le t-shirt noir qu'elle m'a rapporté de Miami, les lettres blanches qui disent Versace, et je me demande si elle m'aime encore, même un peu. Le problème, c'est que je pense que oui. Quelque chose en moi me dit que ce sera toujours le cas.

Je marche dans la rue Lavalle. Il y a plein de Coréens et de Kosovars, des putes, des mecs chelou, des dealers et des cramés de la vie. Plein de sacs-poubelle, des restes de bouffe, des boîtes de conserve, des trucs dégueu. Elle fait peine à voir, cette rue Lavalle. Je traverse l'avenue 9 de Julio, je prends l'avenue Corrientes, je commande un steak-purée dans un bistrot, à cause de mes dents. À quatre mètres de moi, un couple se dispute. Plus près, trois types sont en train de parler affaires. Je trouve la dispute plus intéressante. Le type s'est tiré avec une autre fille. La dame ne lui pardonnera jamais.

« Je ne te pardonnerai jamais de me faire ça maintenant.

– Comment ça maintenant ?

– Quand Osvaldo me tournait autour, tu t'es mis dans une rage folle, tu m'as frappée, tu m'as interdit de sortir dans la rue, je pourrais même pas te dire tout ce que j'ai dû supporter.

– C'était il y a vingt ans, Mecha. »

La dame – car c'est une dame, avec des cheveux blonds tout droit sortis de chez le coiffeur, rondelette, des mains ornées de bagues, les poignets de bracelets, un chemisier à motifs, et des larmes qui coulent de ses yeux bleus – cherche un mouchoir dans son sac à main en cuir.

« Justement.

– Quoi, justement ?

– Maintenant, j'ai soixante ans, José. »

Quelle merde, la vie.

Le steak est pas assez cuit.

Par la fenêtre, une image de la rue, l'avenue Corrientes la nuit, aujourd'hui, à l'automne 2001. Ça aussi, c'est triste.

Alors je laisse la moitié du steak, je paie l'addition sans dire un mot, je donne quelques pesos de pourboire au vieux qui m'a servi. Je parcours encore deux ou trois blocs, j'avale un café puis un autre au comptoir d'un bar, des aspirines, une gorgée, rien qu'une gorgée de whisky, celui que j'ai tiré au Pélican dans une flasque trouvée dans la cuisine de Marú. Pour me requinquer, me donner un coup de fouet.

Puis je ressors, je regarde le ciel noir, une poignée d'étoiles qui brillent à peine, je respire l'air frisquet. Ça sent l'essence.

J'ai une paire de mocassins neufs.

Américains.

Impeccables.

Ils étaient au Pélican.

Il ne s'en rendra même pas compte. Il en a des dizaines.

On fait la même pointure.

Relooké. Déguisé. Camouflé.

C'est pas le moment de me faire refouler parce que je suis en baskets.

L'Obelisco est là. Illuminé et protégé par une grille. Je n'arrive plus à penser à rien. J'ai l'impression que je ne sais plus quoi dire.

Maintenant, il est onze heures du soir.

J'arrête un taxi et je demande au chauffeur de m'emmener au casino.

La bataille

LE bateau flotte dans un coin du port. C'est un bateau comme ceux qu'on voit dans les films de cow-boys, quand les cow-boys arrivent à Saint-Louis pour jouer au poker avec Maverick, par exemple, et qu'ils montent sur le casino flottant au-dessus des eaux du Mississippi, un de ces bateaux avec une immense roue qui tourne derrière pour les faire avancer. Je sais pas si ce bateau-là a une roue comme ça, ni qui a eu l'idée de faire venir ici un de ces mastodontes pour y installer le casino de Buenos Aires. Mais il est décoré avec un luxe de pacotille et rempli de lumières qui font clignoter les eaux du fleuve, dans l'arrière-port, comme les feux d'artifice des gamins à Noël. Je le sais parce que j'ai vu le film. Avant, *Maverick*, c'était une série télévisée. Du temps de mon vieux. Mais la série, je l'ai pas vue. Y a des films où tout a l'air un peu plus facile que dans la vraie vie. C'est plus facile de gagner. Ou de crever. Le mot « Mississippi » est impossible à oublier. Si tu y fais attention une fois, tu peux plus jamais te tromper. Après le « m », toutes les consonnes sont doubles. J'aime bien comment ça s'écrit : Mississippi. C'est sûr que je suis pas Maverick, ni le mec contre qui il doit jouer au poker à la fin du film. Je suis qu'un pauvre type qui doit montrer trois cents pesos pour aller sur le bateau. C'est un peu comme une garantie.

Pour quoi, je comprends pas bien. Mais c'est comme ça. Je pense encore à ces histoires de films. Mon vieux, il aimait bien les cow-boys. Il disait que le plus connu, c'était John Wayne. Que si les supporters de La Boca devaient choisir leur cow-boy préféré, ils voteraient pour John Wayne. Un autre qui avait aussi du succès, c'était Gary Cooper. Pour mon père, John Wayne, c'était le gars costaud qui se faisait passer pour un gentil. Gary Cooper était grand, mince et sérieux. Un mec à problèmes. Gary Cooper ne pouvait pas être optimiste. Henry Fonda non plus. Glenn Ford, il était tellement soucieux de son image que parfois, il en oubliait même son personnage. Il faisait très attention à son chapeau, Glenn Ford, ça se voyait, disait mon vieux quand ça lui a pris de revoir des films de sa jeunesse sur le câble. Et Kirk Douglas, il était invincible. Y'avait qu'à voir l'expression de son visage, ses yeux furieux, ses lèvres serrées et cette fossette qui lui arrivait jusqu'à la tempe, pour comprendre que dans les films où il jouait, s'il y en avait un seul qui sauverait sa peau, c'était lui. Un titan, Kirk Douglas. Mon vieux, son préféré, c'était Burt Lancaster, qui avait l'air moins impressionnant, sans pour autant oublier son rôle. Il aimait bien aussi un type dont personne se rappelle, un acteur quelconque, ni bon ni mauvais. On aurait dit que ce mec apparaissait dans les films pour qu'on se rende compte de la distance qui sépare le cinéma et la réalité. Une fois, avec mon père, on l'a vu à la télé, ce type. J'étais gamin. Il s'appelait Randolph Scott, et il jouait dans *Colt .45*, un film qui doit avoir à peu près cinquante ans. À cette époque, les gens devaient pas être bien grands, ils avaient les bras courts, des chemises un peu moulantes et des pantalons remontés jusqu'au nombril. « Regarde Alan Ladd par exemple », me disait mon vieux. Mais lui, je voyais pas qui c'était.

Pendant que je repense à ces histoires de cow-boys, je fais mes premiers pas sur la moquette en acrylique. Ça a l'air moelleux comme ça, mais c'est juste une impression. Dans tous les casinos que je connais, il y a la même odeur. Vieux ou neufs, super classes ou complètement ringards, ça sent toujours un peu pareil. À Mar del Plata, à Mendoza, à Paraná, à Villa Gesell, à Tigre. C'est un mélange de tabac, de fric et de peur, qui n'est recouvert ni par le parfum des femmes ni par les autres odeurs. Ça monte et ça se diffuse dans l'air comme pendant les veillées funèbres. Quand un homme mise tout ce qui lui reste, il y a un truc qui se dégage de son corps, de sa respiration, de sa sueur ou de ses tripes, et qui se mêle à l'odeur de l'argent, des cigarettes, et à celle de tous les autres joueurs qui ont peur au même moment. C'est impossible d'arrêter, parce que le jeu, c'est comme le vide qui appelle le vertige, même quand on sait qu'on va perdre de l'argent qu'on n'a pas. La peur agit comme un poison qui s'infiltre dans ses veines et finit par l'aveugler. Il y a toujours des gens comme ça, dans les casinos. Il suffit d'avoir du flair.

Au bar, il y a une fille qui fume et qui boit du champagne. En fait, elle ne boit pas vraiment. Elle fait tourner la coupe entre ses doigts en feignant d'observer les bulles qui remontent à la surface, mais en réalité, elle guette un type qui boit une bière de l'autre côté du bar et qui s'amuse avec un paquet de jetons. Je pense encore au cinéma : tous ces gens qui se promènent dans les casinos comme dans les méandres de leur âme ont l'air tout droit sortis d'un film. Un jour, mon vieux a pris sa retraite. Il a arrêté les filles, il a arrêté les affaires et il s'est occupé en jouant au billard ou en regardant des films. Aujourd'hui, je me demande où est passé l'homme qui vivait en exploitant le cul des nanas comme si c'était une loi de la nature, un de ces droits qu'on ne discute pas, où est passé celui qui un soir a fait décoller ma vieille du sol rien qu'avec une torgnole, l'a regardée s'éclater la tête contre la porte, retomber par terre les yeux révulsés et, sans en avoir rien à foutre, est retourné s'asseoir pour continuer à taper le carton avec ses potes. Il y a des questions qui font mal. Mieux vaut ne pas se les poser. Qui était cet homme qui n'a plus jamais levé la main sur personne après avoir pris sa retraite, cet éternel fumeur qui laissait à peine s'échapper un peu de fumée

par les narines quand quelqu'un le faisait rire ? Cet homme avec
qui j'ai regardé tant de films et qui m'a dit un matin que je pouvais glander autant que je voulais, mais que le jour où il me pren-
drait en train de faire une grosse connerie il oublierait jusqu'à
mon nom ? Celui qui, les années passant, était devenu quelqu'un
d'autre, un homme pour lequel on avait de la considération, un
homme mystérieux, un des chefs de Puerto Apache, qui ne ressemblait plus en rien à celui qui s'était tapé ma vieille, mais qui
continuait à être mon père ?

Dans tous les casinos, il y a des gonzesses qui sont là pour séduire
un mec qui voudra bien leur lâcher quelques jetons, et d'autres qui
sont là pour trouver des clients, comme si jeu et sexe étaient faits
pour se rencontrer dans un endroit sans joie ni plaisir. J'arrive à
ce constat et je me rends compte que je m'embrouille les idées. Du
coup, je suis content que Cúper ne soit pas là avec moi, sinon je lui
aurais raconté tout ça et il se foutrait bien de moi, ce con.

Le gros Monti, il est pas gros comme Barragán. Monti, c'est un
gros mou, Barragán, c'est un gros costaud. Les deux sont répu-
gnants, mais Monti est un de ces personnages qui ne se fondront
jamais dans le décor. Même s'il perdait beaucoup de poids, s'il
faisait de la chirurgie esthétique et toute cette connerie de recy-
clage que certains types se paient pour passer inaperçus et qu'on
ne puisse pas les reconnaître, le gros Monti ne tromperait personne. Chacun de ses gestes, de ses regards, chaque millimètre
de sa peau trahit ce côté crapule que rien ne peut effacer. C'est
un bâtard, Monti, un enculé, un fasciste. Mais là, visiblement, il a
merdé. Il y a des choses avec lesquelles faut pas déconner. Même
si tu es ou si tu te crois au-dessus des autres, parfois, vaut mieux
faire attention.

Le gros Walter Monti, on peut pas le rater.

C'est pour ça que j'ai aucun mal à le trouver. Je fais un tour sur
le bateau et je l'aperçois soudain assis à une table parmi d'autres
joueurs, entre ceux qui misent, ceux qui attendent et ceux qui se
promènent dans la salle. Il joue au baccarat au fond d'un salon

et il a tout l'air d'une caricature. Il boit du whisky, il fume, il rit, il empile ses jetons sur le tapis de jeu, il parle avec un type à sa gauche et il pelote une fille à sa droite. La nana se laisse tripoter, elle affiche un sourire de magazine, les lèvres rouges comme une imitation grossière de ces photos de Marilyn Monroe où Marylin montre qu'elle a la plus belle bouche de l'histoire du cinéma. Il transpire, Monti, ça se voit de loin, et ses fringues de luxe, c'est de l'argent foutu en l'air, parce que rien ne va à un mec comme ça.

Alors j'attends.

Je ne m'approche pas. Je fais machinalement tourner les jetons dans ma main. Ma bouche, mon nez, ma nuque, mon estomac et ma jambe me font mal. Mais la fatigue est partie. Tout ce qui me reste, c'est la méfiance et la détermination des animaux blessés qui cherchent une échappatoire. Je suis allé chasser le puma deux ou trois fois, dans le nord. J'en ai jamais tué aucun, mais j'en ai vu mourir quelques-uns, et j'en ai vu s'échapper deux ou trois salement amochés. Faut faire gaffe aux chats blessés. À tous les chats blessés.

Il suffit d'attendre une occasion.

Classique.

Il n'y a aucune raison pour que l'occasion de sauter sur le gros Monti ne se présente pas.

Je n'existe pas.

Et lui ne se doute de rien.

Mais c'est justement parce qu'il y a des choses qu'on ignore tous les deux que je vais avoir ma chance.

Parfois, c'est bizarre la manière dont les choses se passent.

Il y a des bonnes surprises.

Et il y en a des mauvaises.

Ça va pas toujours ensemble. Et elles arrivent parfois au moment où on s'y attend le moins.

Mais ce n'est pas non plus qu'une question de chance ou de malchance. Il n'y a pas que le hasard qui compte, dans les jeux de hasard.

Je saurai jamais ce qui s'est vraiment passé.

Si t'es pas présent, si tu ne vois pas ce qui arrive, si tu ne fais rien et que tu ne ressens rien au moment où les faits se produisent, tu ne pourras jamais savoir comment ça s'est vraiment passé, même si on te raconte tout en détail.

Cúper a beau faire des efforts, répondre à toutes mes questions, reprendre sans cesse l'histoire au début et me répéter point par point ce qui s'est passé, je n'arrive pas à l'imaginer.

C'est pas que je sois dur de la comprenette, comme disait ma vieille.

Le mot « comprenette » – comme « veilleuse », « peigné au râteau » ou « naphtaline » –, je sais pas d'où elle le sort. Mais elle parle comme ça. À Buenos Aires, la naphtaline, on appelle ça de l'antimite, tout simplement. La pauvre, ma vieille. Il va falloir que j'aille la voir, un de ces jours, et que je lui raconte.

Cúper arrive vers onze heures du matin au bar de la place Dorrego. Il a les yeux rouges, les poings écorchés, et il a du mal à respirer. J'ai l'impression qu'il peut faire une crise d'asthme à tout moment. De temps en temps, il prend une bouffée de Ventoline et ça se calme. Il a récupéré sa caisse et m'a apporté ce que je lui ai indiqué au téléphone. Il s'assied et me demande où j'étais passé. « Dans les parages », je lui dis. Je veux qu'il me raconte en premier. J'ai commandé un café et un petit remontant, une grappa. Il presse délicatement la paume de sa main sur son poing. Il regarde par la vitre qui donne sur la rue Humberto I, puis par celle qui donne sur la place et la rue Defensa. C'est un jour comme un autre, et il n'y a personne. Pas d'artisans, ni de vendeurs à la sauvette, pas de touristes, ni d'hommes statue, de clochards, de danseurs de tango. Pas un chat. C'est mieux comme ça. Quelques rayons de soleil pâle s'échappent des nuages bas et blancs. Ils illuminent les arbustes, les bancs en pierre, le sol tapissé de sacs en plastique, de cartons, de bouteilles cassées, de seringues, de capotes et de culs de pétards, et tout a l'air un peu plus pittoresque. Au-dessus de cette crasse flotte une fine nappe de brouillard, comme si c'était la fumée fragile des dernières braises d'un feu qui s'éteint. Si la réalité ne venait pas perturber mes pensées comme elle le fait, je crois que je me sentirais presque heureux, et qu'un jour j'écrirai quelque chose sur cette place. C'est un exemple. Je ne pense jamais à rien qui soit vraiment digne d'attention, comme un vers ou un graffiti. À côté de moi, Cúper, c'est un peu, je sais pas moi, Cadicamo[1], le poète. Mais à cet instant précis, je crois que je pourrais écrire quelque chose qui vaille le coup : une histoire, par exemple. L'histoire d'un tas de mecs désespérés. À commencer par moi.

Cúper me raconte qu'ils sont arrivés vers cinq heures du matin. Comme ça, par surprise, en silence, des ombres parmi les ombres. Mais ils sont nombreux. Ils arrivent avec des camions, des pick-up, des motos, tout ce qu'ils ont pu trouver. Ils arrivent de partout et de nulle part. Ils nous tombent dessus comme une armée du Diable. Ils défoncent les nouveaux portails qu'on vient d'installer, ils tabassent les mecs de l'entrée qui dorment tranquillement comme des imbéciles heureux. Et quand on finit, pardon, quand ils finissent par se rendre compte de ce qui leur arrive, les gens de Puerto Apache comprennent qu'ils sont pris au piège et que cette bande de fils de putes est en train de tout saccager.

Anchorena est allé trouver le Tordu, qui picolait avec Sosa et Madame Jeanne. Le Tordu a prévenu Garmendia. Et Garmendia l'a dit à mon vieux. Mon vieux roupillait chez lui avec une fille.

« C'est quoi, ce bordel ? » aurait dit mon père avant d'enfiler son pantalon, de se donner un coup de peigne et de sortir du Palace Apache en remettant son t-shirt. À ce moment-là, et avant d'avoir pu comprendre ce qui se passait, il a reçu un premier coup, me raconte Cúper. Les types descendaient la rue à toute berzingue, comme si rien ne pouvait les arrêter, et quand ils l'ont

---

1. Enrique Cadicamo, poète argentin du début du XXᵉ siècle, auteur de tangos célèbres.

vu sortir sans couvrir ses arrières, ils lui sont tombés dessus avec une barre en métal.

C'est aussi ce que me confirme la fille qui était avec lui, plus tard, quand je réussis à la trouver et que je lui demande de me raconter. Elle me dit que c'est vrai, que c'est Garmendia qui est venu les réveiller, que mon vieux a demandé ce qui se passait et qu'il a sauté du lit d'un coup, qu'il s'est regardé dans le miroir avant de sortir, « tu sais, ton vieux, il fait très attention à son apparence », et il avait à peine mis un pied dehors qu'il a reçu un coup par derrière avec une barre en métal ou un tuyau de plomb, « t'as vu ses hématomes ? » qu'elle demande. Et moi, je la regarde.

Elle s'appelle Guadalupe, mais on l'appelle Guada.

Elle a, je sais pas, vingt-deux, vingt-trois ans.

Personne ne dirait qu'elle est belle.

Mais tous les mecs disent qu'elle est bonne.

Elle est arrivée il y a trois mois.

Elle a pas de père.

Sa mère est de Corrientes. Elle s'appelle Isabel, je crois, et elle est fan de Tránsito Cocomarola[1]. Elles se sont construit une petite maison derrière le bar de López. La mère fait des ménages pour gagner sa vie.

Les bourges, ils appellent les femmes de ménage des « employées ». Je sais pas d'où ils sortent ça. Mais ça doit venir de « employées de maison ». Comme ça, entre guillemets.

Guada, elle est pas femme de ménage.

Elle est stripteaseuse dans une boîte pour cadres moyens et étrangers de passage dans le quartier de Retiro. Elle tapine. Elle est aussi sur Internet. Je l'ai vue. Y'a des photos d'elle. Tu peux la voir là, et moi je la vois ici, maintenant, et j'arrive pas y croire. Sur Internet, c'est écrit :

---

1. Mario del Tránsito Cocomarola (1978-1974), compositeur et interprète de *chamamé*, genre musical traditionnel de la province de Corrientes.

Guada
Taille : 1m75
Mensurations : 93-60-93
Âge : 21 ans
Brune infernale
Réalise tous tes fantasmes
Prestations de première classe
Accepte les couples
24h/24h

Et il y a un numéro de téléphone. Il suffit d'appeler et de fixer un rendez-vous. Facile. Direct. Impeccable.

Elle est plus grande que Marú.

Elle a les cheveux très noirs.

Les yeux aussi.

Elle est sympa.

« Ton vieux, il est génial », qu'elle me dit, Guada.

Elle a pas l'air d'une pute.

« Je t'ai vue sur Internet, je lui dis.

– Sérieux ?

– Ouais. Dans l'école, y'a un ordinateur. Des fois, on y va le soir avec les copains. On regarde des pornos. Ou des sites de joueurs de foot comme Batistuta. Des trucs comme ça. Pour passer le temps.

– Elles t'ont plu, les photos ?

– Oui. Elles m'ont plu. »

Je suis un peu gêné. Qu'est-ce que je peux lui dire d'autre ? Que je suis un amateur de nus artistiques ?

Dans le bar de López, il ne reste plus rien. Pour la télé, ils y sont allés à la hache. On boit une infusion de maté dans des gobelets en carton. Il fait froid. Guada porte une veste en cuir avec un col en fourrure, un jean noir et des bottines style militaire. Elle a pas le look d'une fille d'ici. Elle me dit que même si elle gagne assez d'argent pour toutes les deux, sa mère ne veut pas arrêter de travailler. « On sait jamais, dit la mère, attendons un peu de voir. » Et elle continue à faire des ménages dans les quartiers de Palermo et Barrio Norte. Elle est payée cinq pesos de l'heure, plus les transports. Certains mois, elle se fait jusqu'à six cents pesos. « Elle bosse comme une folle, raconte Guada, ça devrait pas être permis. » Je lui dis qu'elle a raison. Et je lui demande de poursuivre son histoire.

« Le Tordu dit qu'aujourd'hui on a gagné, reprend Guada. Mais moi, j'en suis pas certaine. C'est peut-être Sosa qui a raison.

– Qu'est-ce qu'il dit, le Moustachu ?

– Qu'on a gagné une bataille, mais qu'on n'a pas gagné la guerre. Parce qu'il dit que là, c'est la guerre.

– Il y connaît rien, ce mec.

– Moi non plus, mais t'aurais dû les voir, mon petit Rat. Je te jure qu'ils faisaient flipper. Y'avait du feu partout, et des mecs à moto qui défonçaient tout sur leur passage à coups de chaînes. Mon cœur battait à cent à l'heure. »

Dans ce que raconte Guada, y'a deux choses qui me font battre le cœur à cent à l'heure. La première, c'est que j'étais pas là pour le voir. La deuxième, c'est qu'elle m'appelle « mon petit Rat ». Jusqu'à présent, il n'y avait qu'une seule fille qui m'appelait comme ça.

« Raconte-moi », je lui dis.

Elle me dit oui et elle reprend depuis le début. Elle était rentrée tôt parce que le client de la nuit précédente s'était pas éternisé. « En fait, il n'a même pas joui, dit Guada, et il n'arrivait pas vraiment à bander non plus. Il a eu honte et il s'est tiré. Je suis rentrée vers trois heures, ce qui m'arrive jamais, et j'ai rejoint ton vieux. Je me suis endormie vers quatre heures et demie, je crois. Et ça a commencé juste après. On aurait dit des vrais sauvages. »

On est restés silencieux.

López fait de son mieux pour réparer une table qui a un pied en moins. Il est concentré, avec une cigarette éteinte au coin des lèvres. C'est un mec à la fois normal et bizarre, López. Il ne dit

jamais rien. Il se plaint pas. Il pense qu'un jour ou l'autre, tout
redevient poussière, que les choses ne peuvent pas toujours rester comme elles sont, que la dégradation est une des formes de
la réalité.

« Il est cool, ton vieux », me dit Guada.

Le gros Monti exécute tous les gestes qui laissent deviner
qu'un obèse est sur le point de se lever. Même sa respiration
change. Les obèses, ils respirent pas de la même manière quand
ils s'assoient, quand ils s'allongent ou quand ils se lèvent. La fille
reste à sa place, et le type à la sienne. Ils gardent sa chaise pendant que le député ou l'ex-député Monti marche jusqu'aux toilettes en se balançant sur ses gros poteaux. Je me faufile dans
un couloir qui longe le salon de jeux et j'arrive aux toilettes juste
après le gros plein de soupe. On entend le bruit de l'eau qui coule,
et il y a ce parfum chimique de désodorisants pour WC. Monti est
seul. Tourné face à l'urinoir, il fume, et même s'il m'a entendu, il
me calcule pas. Comment fait ce type pour être aussi détendu ?
Peut-être que le pouvoir fait croire à ces gens-là que l'impunité
existe et que les politiques et les tricheurs sont intouchables.
Mais, quand il se retourne, le gros plein de soupe se retrouve nez
à nez avec un couteau. Il cligne des yeux, me regarde, il ferme sa
braguette et retire sa clope pour la jeter plus loin. Il me demande
ce qui m'arrive, ce que je veux, qui je suis. Il ne pense pas encore
que son sang pourrait couler. Celui qui voit son sang, celui qui
peut imaginer comment coulerait son sang, il ravale son orgueil
et il ne la ramène pas. Je lui dis que je veux la thune ou la came
qu'il n'a pas payée à la dernière livraison. Il se remet à cligner des
yeux. Maintenant, il comprend que je suis pas là pour son portefeuille. Je lève le bras et la pointe du couteau s'arrête à quinze
centimètres de sa jugulaire. Je veux pas le toucher. Je veux
que la panique lui fasse remonter la bile jusque dans la bouche.
Monti dit qu'on lui a livré la came qu'il avait commandée et qu'il
a payé la came qu'on lui a livrée. Un éclair de lucidité traverse son

cerveau et ses yeux imbibés d'alcool. Une réaction. Une étincelle de conscience.

« Ils m'ont livré ce que j'ai commandé, et moi j'ai payé ce qu'on m'a livré, qu'il me dit. C'est la vérité, gamin. »

Il m'appelle « gamin ».

Je préférais « ma poule ».

J'ai vingt-neuf ans. Une femme. Deux gosses.

Je suis pas un mec irréprochable. Mais je suis plutôt honnête. Je dis pas non plus que je suis innocent.

Personne n'est innocent.

Je crois que je pourrai jamais expliquer pourquoi j'ai eu l'impression que cette enflure ne mentait pas. Ni d'où me vient ce genre d'intuition. Je demande au gros qui lui a livré la came et à qui il a filé les thunes.

« J'en sais rien, qu'il me dit, je les connais pas, c'est jamais les mêmes. Tu sais comment ça marche. »

Là, je sais qu'il me baratine.

Je rapproche le couteau de sa gorge.

Je piétine. Je fais comme si j'étais nerveux. Je lui répète la question, mot pour mot, d'une voix basse et posée.

Monti sort une autre cigarette de son paquet. Il me dit qu'il veut du feu et il me fait comprendre qu'il en a dans sa poche. Je lui fais comprendre qu'il peut l'allumer. Il plonge la main dans une des poches de sa veste et il allume sa clope avec un briquet jetable. Décidément, ce type n'arrête pas de me surprendre. Je m'attendais à un truc en or.

« Cette fois-là, c'est deux mecs que je n'avais jamais vus qui m'ont livré la marchandise, me dit Monti. Ils ont pas dit un mot. Ils me l'ont donnée et ils se sont volatilisés. La seule chose dont je me souviens, c'est que c'était des jeunes, deux gamins de vingt piges qui ressemblaient à tous les gamins de vingt piges. Après, un grand gars et une nana sont venus chercher le fric. Je les ai pas vus. C'est mon secrétaire qui les a payés, au bar de l'hôtel. Parce que j'habite à l'hôtel. »

Je regarde le peu de cheveux qui lui restent. Il se les teint.

Des signes d'ivresse réapparaissent dans son regard. Je comprends alors que Monti n'a plus peur. Il fanfaronne pas non plus. Mais peut-être que maintenant il se sent un peu mieux dans ses pompes, même si ses gros pieds doivent lui faire mal.

« OK », je lui dis.

Je baisse le bras et je fais un signe de tête en direction de la porte.

Le gros Monti s'en va. Quand je sors des toilettes, je l'aperçois de nouveau à la table de baccarat.

Sa main se balade sur le cou et les épaules de la fille assise à sa droite, pendant qu'il parle avec le mec à sa gauche, un homme plutôt maigre, bien sapé, aux gestes lents et étudiés, qui se penche vers Monti pour mieux l'entendre.

Je quitte le bateau.

Avant que j'aie pu arriver à la station de taxis, trois types me barrent le chemin.

Le parking est une immense étendue quadrillée par les lignes des places de stationnement, avec de la musique d'ambiance et des panneaux lumineux où apparaissent les figures des cartes : carreau, cœur, pique et trèfle ; les couleurs : le rouge et le noir ; et les chiffres et les lettres. Tu peux laisser ta bagnole au sept de cœur ou à la dame de trèfle. Par exemple.

Mais j'ai pas le temps de penser à ça.

Je prends la tangente, je traverse le parking en courant comme un dératé. Je zigzague entre les trottoirs, les bagnoles, les bus qui ramènent les gens du casino vers le centre, et vice-versa. Je fonce vers l'avenue Brasil et je continue à courir. Puis je reprends mon souffle. Je suis pas sûr d'avoir réussi à les semer. Et je me trompe pas. Au même moment, les phares d'une voiture m'éblouissent, de plein fouet. Je ferme les yeux et je reprends ma course. Je dois sortir de ce piège, et je crois que pour ça il faut que je prenne l'avenue Belgrano jusqu'aux petites rues sombres, aux galeries, aux coins cachés, aux trous où disparaissent les rats.

Il n'y a pas d'autre issue.

Alors c'est ce que je fais.

Je continue à courir.

Une heure plus tard, je m'enferme enfin dans la chambre d'un hôtel miteux du passage Colón. Les trois types sur le parking, c'était Tony, le Nabot et le Loup. Tony, c'est celui qui est toujours avec l'Ombú. Lui aussi, il bouffe des grillades avec le Pélican. Il bouffe des grillades, il regarde le foot et il ne dit jamais rien. Mais Tony, il est pas comme l'Ombú : lui, il mange les tomates dans la salade. C'est un autre genre de mec.

Dans quel piège est-ce que j'ai bien pu tomber ?

J'en peux plus.

Dans la chambre d'hôtel, ça sent le moisi et ça pue le chat.

L'odeur de chat, elle est reconnaissable entre mille.

J'arrête de penser et je m'endors.

Cúper continue à tourner autour du pot, il commande une autre grappa, il pense que le plus important, c'est de comprendre que ces gens n'ont pas de scrupules : « Ils veulent entrer à Puerto Apache, occuper le terrain du côté du fleuve, ils reviendront. Ils sont nombreux, organisés, la prochaine fois on va pas les arrêter rien qu'en cramant un de leurs camions, ni avec un ou deux coups de feu tirés dans l'obscurité, la prochaine fois ils nous tomberont dessus en plein jour et je voudrais bien voir ce qu'on va pouvoir faire, parce qu'on va pas les faire fuir avec de l'huile bouillante... On a même pas de balcons pour leur jeter de l'huile, d'ailleurs, et là ce sera pas les invasions britanniques[1] », dit Cúper, et il continue.

Les rayons de soleil froid qui filtrent à travers les nuages sont immobiles. Ils restent là, droits, projetant sur la place une lumière blanche comme s'ils étaient faits de glace.

Je me suis réveillé à neuf heures et demie. Ce matin, dans la chambre d'hôtel, je pourrais le jurer, ça sentait le chat. Ça m'a

---

1. Expéditions de la marine anglaise contre les colonies espagnoles du Río de la Plata au début du XIXe siècle, qui se sont soldées par la défaite du Royaume-Uni.

retourné l'estomac. Tout mon corps me faisait mal. J'ai appelé Cúper. Je lui ai dit où j'avais laissé sa caisse et je lui ai demandé de m'apporter le flingue que j'avais pris au Loup le matin d'avant, avec un peu de cash. Je lui ai dit de chercher la boîte dans ma penderie, de faire attention à ce que Jenifer ne le voie pas, et que je l'attendrais dans le bar à l'angle de la rue Humberto I et de la rue Defensa.

Je finis par lui dire : « Abrège, Cúper. »

Il hausse les sourcils et son regard se trouble.

Je lui demande : « Qu'est-ce qui se passe, mec ? »

Et il me répond : « Je vais te dire la vérité.

– Dis-moi la vérité.

– Ils l'ont laissé à moitié mort.

– Qui ça ?

– Ton vieux. »

Un paradis argentin

MON vieux a le regard tourné vers la fenêtre. Je me dis qu'il voit les nuages qui se dispersent peu à peu en ce début d'après-midi. J'entends des cris de mouettes, des voix lointaines, la rumeur silencieuse du fleuve et les bruits de cette chambre, à la fois étranges et bien réels. On a du mal à croire qu'entre Puerto Apache et la place Dorrego, il n'y a que vingt blocs. À cette heure-là, depuis la ville, le soleil pâle illumine la lagune à ciel ouvert, comme si on était à la campagne ou sur une île. J'observe les yeux clairs de mon père, ses sourcils gris un peu tombants, et je pense que ce regard insondable ne voit peut-être plus rien, qu'il ne voit pas les nuages épars, les oiseaux qui traversent le ciel, les rayons de soleil d'hiver en cet automne inattendu. Je crois qu'il ne me voit pas, qu'il ne me voit plus, et je me demande s'il sent les draps frôler ses doigts, si ses blessures lui font mal, ou si le plaisir du sexe reste dans la mémoire d'un corps inerte privé d'idées et de sentiments.

Il est en vie. Il respire. Il bouge une main, ou c'est sa main qui bouge. Il entrouvre les lèvres et il les referme. Je m'étonne qu'il respire tranquillement, sans ce râle dans les poumons qu'on pourrait imaginer d'un corps aussi affaibli.

Est-ce qu'il pense, mon vieux, en ce moment ? Et à quoi il peut bien penser ?

Peut-être à rien.

Il a pas l'air de souffrir. C'est pour ça qu'on dirait qu'il pense à rien. Peu de chance qu'il pense à ma vieille, par exemple. Encore moins maintenant. Ou à moi. Qui aurait une idée pareille ?

Moi, si j'étais à sa place et si je pouvais penser, je penserais à quelque chose qui me soulagerait du bruit de la vie. Quelque chose qui me rendrait heureux.

Tout le reste ne sert à rien.

L'appart de mon vieux ressemble à une chambre d'hôpital.

Quelqu'un l'a même bordé avec un couvre-lit blanc impeccable et lui a ajouté un oreiller.

Susana, qui travaille dans les bureaux de l'hôpital Borda, a pu se procurer un de ces appareils avec une poche transparente suspendue. Je regarde ce bras, cette veine par laquelle on injecte du sérum à mon père.

J'arrive pas à croire que ce corps marqué par les coups soit celui de l'homme invincible qui, quand j'étais gosse, était pour moi le chef de tous les méchants.

Peut-être qu'il n'a plus de conscience.

Qu'il ne sait plus rien.

Qu'il ne comprend pas ce qui se passe.

Qu'il est dans le coma.

Qui sait.

Ici, personne ne peut faire de diagnostic.

La seule qui s'y connaît un peu, c'est Rosa. Elle a travaillé aux urgences de l'hôpital Fernández. Elle a dit qu'il fallait le mettre sous perfusion et puis attendre. Rosa est à la retraite depuis douze ans.

On n'a pas intérêt à se faire remarquer.

Si la police fédérale apprend qu'il y a eu des morts et des blessés ici, on est foutus. Ils n'attendent que ça pour nous dégager.

Je commence à me faire à l'idée que je n'entendrai plus jamais la voix de mon vieux.

Ça fait bizarre.

De penser à sa voix.

Je me sens con.

Les larmes me montent aux yeux.

Ça peut pas être si grave que ça, je me dis.

Quand Anchorena, Garmendia et le Tordu apparaissent, j'en profite pour filer. Je sors du Palace Apache et je marche un moment, je me dégourdis les jambes, je fume une clope. J'ai l'impression que c'est la première cigarette que je fume de toute ma vie. Ou la meilleure. Je sais pas. Je m'arrête au bar de López. Je commande un gin. López ne dit rien. Il répare des chaises. Il n'arrête pas. Je l'envie un peu. Il a quelque chose à faire, lui. Je crois pas au hasard, mais Cúper déboule par hasard. Il me donne une tape sur l'épaule. Puis une autre.

« Qu'est-ce qui te prend ? je lui demande.

– Rien.

– J'ai pas besoin qu'on vienne me consoler. »

Cúper détourne le regard.

Lui aussi, il commande un gin.

Puis on sort et on marche un peu.

« Ils ont emporté leurs blessés », qu'il me dit.

Le vent qui vient de l'est secoue ses cheveux décolorés atta-chés en arrière, des cheveux sales et emmêlés qui lui donnent presque un air de rasta. Il y a des filles qui trouvent que Cúper a du charme.

« De qui tu parles ? je lui demande.

– Des casseurs, dit Cúper. Les blessés et deux morts.

– Il manquerait plus qu'avec ce vent, on se prenne une tempête », je dis.

Cúper regarde le ciel.

Il y a encore un peu de soleil. Mais c'est une lumière jaune pâle qui ne présage rien de bon.

« Ils en ont oublié un, ou ils l'ont pas retrouvé, un truc comme ça, dit Cúper.

– Un blessé ?

– Au début, il était blessé. Maintenant il est mort. »

Je ne dis rien. Cúper poursuit :

« Il fallait bien vérifier qui ils étaient, d'où ils venaient, ce genre de trucs... Bon, ils ont eu la main un peu lourde pendant l'interrogatoire.

– Qui ça "ils" ?

– Sosa et trois autres mecs.

– Le Moustachu a tué quelqu'un ?

– Il l'a pas tué tout seul. Ils étaient quatre. Et ils l'ont pas vraiment tué non plus. Le mec était blessé et ils y sont allés un peu trop fort. Ils l'ont déjà enterré. Ils l'ont fait disparaître. Y'a pas de preuves. »

On arrive devant chez Morales, qui bosse comme porteur à la gare de Constitución. Avant de frapper à la porte, je dis à Cúper :

« Le Moustachu va nous foutre dans la merde.

– Il y en a qui sont d'accord avec ce qu'il a fait. C'est un peu comme une revanche. On peut pas accepter qu'une bande de fous furieux nous tombe dessus un beau matin et nous défonce la gueule sans réagir. On est quoi ? Des bonnes sœurs ? Des Hare Krishna ? »

Des fois ça lui prend de parler de religion, Cúper.

Il vaut mieux que je me taise.

Morales le porteur vient nous ouvrir. Il mesure un mètre quatre-vingt-cinq et il pèse cent dix kilos. C'est une armoire à glace. Je sais pas si vous voyez ce que je veux dire. Ils se sont acharnés sur lui et ils lui ont refait le portrait. Il a la tête bandée, le nez cassé et il a perdu une dent. Il rigole en me voyant. « Quoi de neuf, le Rat », il me salue, il ouvre la bouche, il sourit et on voit qu'il lui manque une dent. « Toi aussi, t'as ramassé », qu'il me dit. Alors je me rappelle que j'ai la gueule amochée, mais j'ai honte de dire que c'est pas pour la même raison. « Ben... » je lui réponds, et je lui offre du chocolat, une tablette de Milka au lait avec des amandes, et un paquet de Winston, un de ceux que j'emporte toujours de chez Marú. Morales, il aime bien les marques

étrangères. Il a des goûts de luxe. Il s'attendrit comme un gosse.
« T'es un frangin », qu'il me dit.

Je pose ma main sur sa tête. Je lui ébouriffe les cheveux.

Et puis on s'en va, Cúper et moi.

Le prochain arrêt, c'est chez Toti.

Ils lui ont pété la main droite.

Il est assis dans un fauteuil à bascule en bois et en osier. Il se balance. Il bouillonne de rage, Toti.

Rosa, l'infirmière à la retraite de l'hôpital Fernández, lui a posé une attelle.

Ma vieille, elle appelle ça une berceuse, un fauteuil comme celui où Toti se balance, mon ami le travesti Edmundo Botti. Un sacré type.

Des fois, je me demande si à Rosario les gens parlent mieux ou juste différemment qu'ici. Je veux dire : avec les mots justes. Ou si c'est comme ça qu'on parlait avant, parce qu'aujourd'hui j'ai l'impression que partout les gens parlent n'importe comment. Y'a presque plus de mots. On trouve plus les mots pour dire les choses. On les oublie. On les perd. Je sais pas ce qui se passe. Un type de Jujuy, qui bosse dans l'entretien des routes, raconte que dans le nord-ouest ils parlent mieux qu'à Buenos Aires. Julián, un autre gars qui lave les pare-brises à l'angle de Sarmiento et Figueroa Alcorta, s'engueule toujours avec lui à cause de ça, et lui dit que dans le nord-ouest, les gens parlent plutôt comme des Indiens croisés avec des Espingouins.

Moi, je sais pas.

Je crois que cette obsession pour les choses bien dites, cette envie d'écrire, c'est un truc qui me vient de ma vieille. Elle, quand elle parle, elle sait ce qu'elle dit, elle connaît le sens des mots qu'elle emploie. Je crois qu'elle est allée jusqu'en seconde et qu'elle aimait bien lire des livres. Jusqu'à quatorze ou quinze ans, ma vieille rêvait d'une autre vie. Après, elle a débarqué à Buenos Aires. Il est arrivé ce qui est arrivé. Et elle s'est retrouvée avec un fils maniaque du vocabulaire qui se croit plus malin que les autres. Je préfère pas y penser, mais j'ai l'impression que cette lubie, ça me vient d'elle. Pas de celle qu'elle est aujourd'hui ni de celle qu'elle a été pendant toutes ces années de tapin où j'allais même pas à l'école. Mais plutôt de celle qu'elle était avant, quand elle était quelqu'un d'autre, une gamine qui avait grandi dans un autre monde et qui paraissait destinée à une autre vie. Une fille qui n'y connaissait pas grand-chose à la réalité. Peut-être que c'est de là que me vient ce côté je-sais-tout. Comme si je savais vraiment quelque chose.

L'intello du ghetto.

C'est comme ça que Toti m'appelle quand il trouve que j'en fais un peu trop.

La première fois qu'il m'a sorti ça, c'était un soir où on était bourrés, lui, Cúper et moi, et où on débattait sur le sens de la vie. Rien que ça.

J'ai dit un truc du genre que la vie était un horizon qu'on ne voyait jamais et que c'est pour ça que c'était si difficile de la comprendre.

Alors Toti a dit : « T'aurais pas bu un coup de trop, monsieur l'intello du ghetto ? »

Il m'a pas raté.

C'est fou comme les surnoms restent quand ils arrivent à résumer quelque chose, quand ils captent en deux mots un truc qu'on avait jamais pensé avant sur nous-mêmes, mais qui d'un coup devient évident quand on nous donne ce surnom.

Toti se lève, il me montre à nouveau sa main avec l'attelle et il me dit qu'on peut pas accepter ça.

Je lui dis que non.

Il me dit qu'ils l'ont fait exprès.

Je lui dis que oui.

Il me dit que c'était une bande d'abrutis et de frustrés du cul.

« Carrément. »

Qu'est-ce que je peux lui dire d'autre ?

« Roule-moi un joint », qu'il me demande.

Sur une petite table près du fauteuil à bascule, il y a un sac avec de l'herbe, des feuilles et des clopes. Je lui en roule deux.

On fume un peu.

« C'était pas un hasard, qu'il me dit. Ils sont venus me chercher. »

Il a raison. Mais ça, je le comprendrai plus tard.

Je demande à Cúper de faire un café pour Toti et de m'attendre un instant. Toti dit qu'il préfère un thé. Je traverse la rue et je rentre chez moi. Jenifer me jette un regard. Elle repasse les vêtements des gosses.

« T'es rentré », elle me dit.

Je m'approche d'elle par-derrière et je l'embrasse dans le cou. Gilda chante :

> *Qui te dit que la porte de chez moi*
> *sera toujours ouverte pour toi ?*
> *Tu vas et tu viens à ton envie,*
> *et moi je t'attends toute la nuit*[1].

C'est une *cumbia*.

Les gamins sont pas là.

La maison sans Ramiro et Julieta, c'est pas pareil.

Je me rappelle quand on n'avait pas encore les enfants.

Jenifer sent bon. Elle sent la femme. La rancune. Je caresse ses fesses, fermes et rebondies.

Elle essaie de se dégager comme elle peut. Elle est debout face à la planche à repasser et je suis derrière elle.

« Les enfants vont bientôt rentrer », qu'elle me dit.

Je soulève sa jupe. Je descends sa culotte. Elle veut pas. Et ça me fait encore plus bander. J'aime la toucher sans lui enlever sa robe. Je lui écarte les jambes. Elle a vraiment pas envie ? J'enfonce mon doigt et je le retire, et je recommence. Alors elle baisse la tête et la penche sur le côté : s'il y avait un miroir je la

---

1. Extrait de la chanson « La puerta », de Gilda.

verrais en ce moment, les yeux fermés, les lèvres entrouvertes...
Maintenant, oui, elle a envie.

Je la baise.

Je la baise bien.

Elle jouit deux ou trois fois.

On peut jamais savoir.

Mais je bande comme un fou, et c'est le meilleur coup que je tire avec Jenifer depuis plusieurs mois.

Après, je prends une douche, je change de vêtements et je lui dis que je vais sûrement rentrer tard. Je lui demande d'embrasser les enfants pour moi.

Gilda chante toujours :

> *Je ne compte plus les nuits blanches*
> *à regarder les heures passer,*
> *le bateau de notre amour flanche*
> *et tu le regardes couler*[1]...

Je traverse la rue. La nuit tombe. Toti regarde un film. « Un film d'amour, qu'il me dit. C'est l'histoire d'une fille très pauvre qui tombe amoureuse d'un couillon pété de thunes qui ne la voit même pas. » Je dis à Cúper qu'on y va. Et on y va.

« T'as l'air d'un tueur, avec ces fringues », il me dit. Il me fait vraiment pas de cadeau, aujourd'hui.

Il a raison.

J'ai mis une chemise propre, un jean neuf qui a l'air vieux, des chaussures avec des semelles en caoutchouc que j'ai rachetées vingt pesos l'année dernière à un gamin qui les avaient tirées pour son vieux dans une boutique chicos de l'Alto Palermo mais qui étaient finalement trop petites pour lui, et une veste en cuir. C'est un de ces cadeaux que me fait Marú pour me rhabiller à son goût en disant : « Tu vas voir, mon petit Rat, ça va super bien t'aller. »

C'est pour ça qu'il a raison.

---

1. Extrait de la chanson « Noches vacías », de Gilda.

Pour entrer dans un bar du Pélican, il faut être bien sapé. S'il se met en tête que t'as l'air d'un zonard, il s'énerve et il te fout dehors.

Aujourd'hui, il va s'énerver.

Je vais pas y aller pour apprendre des numéros par cœur.

Je vais pas y aller pour travailler, ni manger, ni prendre un verre.

Je vais lui mettre les points sur les i.

Et je suis pas à poil.

Dans la poche intérieure gauche de ma veste, je garde le pistolet que j'ai pris hier matin au bras cassé à la gueule de loup. Et dans mon dos, coincé à la ceinture, mon 38, un vrai flingue.

Je me souviens quand le Pélican a commencé à se taper Marú et que pendant un temps elle a fait comme si j'existais plus. Je me disais qu'elle m'aimait encore, mais c'était sans appel. Elle allait vers de nouveaux horizons et elle faisait ce qu'il fallait pour atteindre ses objectifs. Elle m'a pistonné pour que le Pélican me donne du boulot, mais j'avais à peine le droit de la regarder de loin. Elle était chef de salle dans un des établissements du Pélican. À cette époque, il en avait deux. Ça, je l'ai déjà raconté, mais je le répète parce que je crois que c'est important. Ou parce que pour moi, c'est important de pas oublier ces nuits-là, quand j'ai commencé à bosser pour le Pélican et que je passais dans ses restos chercher les numéros qu'il me donnait. Là, je voyais Marú. Je la voyais de loin. Habillée comme une déesse. Plus belle que jamais. Marú me calculait pas. Ou elle me regardait quand elle pensait que je ne la voyais pas. Celui qui me lâchait pas des yeux, c'était le Pélican. Il a toujours été fou de jalousie. Le pouvoir, le fric, la gloire n'y peuvent rien. La jalousie, c'est une vraie maladie.

Le temps est passé et ça s'est calmé. Il y avait moins de tension. Le Pélican était plus serein, et de toute façon il fallait bien qu'il fasse confiance à Marú. Les affaires marchaient bien et elle commençait à avoir d'autres responsabilités. Elle a arrêté de travailler en salle, elle a recruté des nanas bien roulées pour les deux établissements que le Pélican a ouverts, elle leur a appris les règles du métier, elle a géré la mise en place des équipes, elle a viré les emmerdeuses et les pédés mal lunés. C'est un des secrets de ce genre d'endroits. Il faut toujours une ou deux filles qui font semblant de s'intéresser aux clients, même les plus relou, et quelques pédés sympas. Sympas et corrects avec tout le monde. Pas juste avec les pédés. C'est comme ça que ça marche. Les nanas peuvent se taper des gros friqués, et les pédés peuvent bien avoir les aventures qu'ils veulent une fois leur service terminé. Mais dans les bars du Pélican, ils sont là pour bosser. C'est tout. C'est comme ça. Quand Marú chope un type ou une fille en train d'aguicher un client, elle les dégage.

Elle avait vingt-cinq ans et elle supervisait déjà tous les bars du Pélican. Alors, il s'est concentré sur d'autres affaires.

Ça fait pas si longtemps.

À peine deux ans.

Mais cette histoire, elle sentait déjà le moisi.

En tout cas, je me souviens de Marú, ces nuits-là, quand elle m'ignorait et que ça me retournait le cerveau. Je la regardais avec ses mini-jupes légères et satinées et ses longues jambes, ses cheveux détachés, un sourire maîtrisé accroché à ses lèvres terriblement sensuelles, et j'avais envie de me tirer une balle.

Marú disait que j'étais fétichiste. Et je crois qu'elle avait raison. Après un voyage à Bariloche qu'on a fait en 1997, j'ai gardé une de ses petites culottes. Une culotte blanche. Je lui ai volée un soir, quand elle l'a enlevée après l'avoir portée toute la journée. Quand Marú a pris ses distances, je l'ai cherchée, cette petite culotte, je l'ai retrouvée et j'ai pas pu m'empêcher de la renifler. Elle avait toujours l'odeur de Maru. Celle qu'ont les femmes entre les cuisses et qui n'appartient qu'à elles, un mélange de sexe et de parfum. C'est bizarre. Cette odeur me rend fou.

De temps en temps, je la renifle encore, Marú.

C'est pour ça que je dis qu'il a raison. Je me suis habillé pour l'occasion. Je pense pas tuer qui que ce soit, mais si j'ai pas le choix, je tirerai peut-être quelques coups de feu. Y'a pas moyen, comme dit Cúper, qu'un beau matin une bande de petites frappes me tombent dessus et me fracassent la gueule juste parce que le Pélican est un peu contrarié.

On marche dans les rues larges de Puerto Apache, on arrive sur l'avenue, on passe devant le cinéma qui va être inauguré demain ou après-demain, puis on se dirige vers le sud et on finit par retomber sur le Palace Apache. L'idée du cinéma vient d'un mec qui bosse dans un vidéo-club de Barracas. C'est pas une mauvaise idée. On a une école, un ordinateur et un cinéma... Que demande le peuple ?

Une bibliothèque, répondront les emmerdeurs.

Les livres, ça accumule de la poussière, ça jaunit, ça se déchire.

Les livres, il faut pas les garder. Il faut les lire et les prêter, les offrir ou les jeter. Ça sert à rien de garder les livres. Mais il y a des gens qui conservent tout, qui collectionnent n'importe quoi. C'est comme ces techniciens en radiophonie, je sais pas comment on les appelait, ces types comme mon grand-père qui construisaient des postes de radio. Ils gardaient des bouts de câbles, des fils de fer rouillés, des clous tout tordus, des vis, des tubes, comme il y avait avant sur ces postes, des boutons, des cadrans de fréquence, et j'en passe. Un jour ces types mouraient, et tout ce bordel finissait à la poubelle du jour au lendemain. Et ces radios, qui est-ce qui les utilise encore aujourd'hui ? Personne. On les garde même pas comme souvenir. Avec les livres, il finira par se passer la même chose. Et ce qui se passe avec Internet, c'est pas la même chose ? Internet, c'est la bibliothèque du monde. Il y a tout, sur Internet. Pas seulement Guada. Pas que de la pornographie. Pas que des endroits pour les connards qui violent des mômes, comme cette organisation qu'ils ont découverte en Italie, des fachos qui discutent proies et parties de chasse...

Dans le couloir, en face de l'appartement, plein de monde s'est rassemblé : des amis, des voisins, des curieux. D'un coup, ça me fait penser à une veillée funèbre. Le vieux est mort, je me dis.

Mais non. On me laisse passer quand j'approche, et avec Cúper on entre chez mon père. J'ai des hallucinations : ça sent l'hôpital, ici, ou bien c'est l'odeur de la mort.

Rosa applique un nouveau bandage sur le torse de mon vieux. Je regarde les mains tachetées et déformées par l'arthrose de ce petit bout de femme qui, à son époque, a dû être une excellente praticienne.

« En plus, dit-elle en me voyant, comme si elle reprenait une conversation qu'on n'a jamais eue, il a deux côtes cassées. »

Face à la fenêtre, de dos, les bras croisés, le regard reflété dans la vitre et absorbé par ce jeu d'ombres et de lumières qui plongent ou qui ricochent sur les eaux invisibles de la lagune, Madame Jeanne est là elle aussi. Qui pourrait nier que c'est une visite d'importance ? Comme si un jour Thatcher était allée voir Reagan en plein Alzheimer. Un peu plus tard, quand je raconte ça à Cúper, il hoche la tête : « Arrête ton char, mec. Si ton vieux c'était Reagan, moi je serais la reine d'Angleterre. »

« Il va s'en sortir ? » je demande à Rosa.

La vieille infirmière me regarde. Ses yeux sont perdus derrière un voile de nuages fins, transparents et troubles à la fois. C'est inévitable. On n'y peut rien. Ses cheveux sont attachés en chignon, et elle aurait sûrement mis sa vieille coiffe d'infirmière si elle l'avait retrouvée.

« Peut-être, qu'elle me dit. Moi, je crois en Dieu. »

Et elle s'en va.

L'agonie de mon vieux a rendu à cette femme sa dignité, la dignité qu'on perd quand on n'a rien à faire et qu'on devient inutile, un fardeau pour les autres.

Alors Madame Jeanne s'approche du lit.

Elle ne me regarde pas.

Ses cheveux sont comme de la paille sèche : ternes et décolorés. Ils ont l'air blonds, blancs, gris, tout ça mélangé.

« Non, me dit Madame Jeanne. Ton vieux, il s'en sortira pas. »

Je me tais. Cúper aussi.

Elle prend la main de cet homme allongé sur le lit, les yeux ouverts, mais qui ne voit plus, ne pense plus et ne ressent plus rien.

Je me demande ce qui unissait ces deux personnages qui ne se faisaient pas confiance, qui n'étaient pas amis, qui dissimulaient la rancune qu'ils avaient l'un pour l'autre, mais qui avaient sans doute passé plus d'une nuit ensemble.

« Merci d'être venue », je dis à Madame Jeanne.

C'est de la politesse. Je sais pas quoi lui dire. Mais je veux lui dire quelque chose. Elle ne me regarde toujours pas, mais l'ombre d'un sourire furtif transforme sa bouche l'espace d'une seconde. Je sais que si mon vieux y passe, cette femme va gagner du terrain, de l'influence, du pouvoir. Elle a déjà de nouveaux projets en tête. Et elle veut tenir les rênes de Puerto Apache ou mettre la main sur celui qui s'en emparera. Une fois mon vieux parti, la chute du Tordu et de Garmendia est une question de jours, et la Première Junte ne sera bientôt plus qu'un souvenir, le nom d'une nouvelle place, ou un truc du genre. De l'histoire ancienne.

On sort de Puerto Apache dans la bagnole de Cúper.

J'appelle Marú sur son portable.

Elle me dit qu'elle est toute seule mais qu'elle peut pas me voir maintenant.

Je lui dis que je m'en fous, que j'arrive chez elle.

Elle essaie de négocier.

Elle me dit qu'aujourd'hui c'est pas possible, mais que je vienne demain midi. Ma vie avec Marú, c'est un secret vécu au grand jour.

Je gare la caisse dans le parking privé d'un restaurant de Puerto Madero. Le gardien est un pote de Cúper. On peut se garer même si on n'est pas des clients. C'est un resto fréquenté par des bourges, d'anciens fonctionnaires, des producteurs télé, des mecs qui se sont fait du blé sur notre dos, des cocaïnomanes et des profiteurs en tout genre et de tous horizons. En d'autres mots, un paradis argentin.

Cúper a envie de manger une pizza.

Alors on marche un moment le long des quais.

Je vois les lumières de la frégate *Libertad* ancrée un peu plus loin, dans le bassin nord.

On finit par s'asseoir à une terrasse avec un plancher en bois, une balustrade en fer, des lumières tamisées, des tables avec des nappes blanches, des petites bougies et des fleurs. Ici, une pizza va nous coûter plus cher qu'une douzaine d'huîtres au resto du Pélican.

Mais moi, j'aime pas les huîtres. Cúper non plus. Et ce soir, j'y vais pas pour manger, au resto du Pélican.

La fille qui nous sert est perchée sur des chaussures avec des semelles compensées dignes d'un scaphandrier ou d'un astronaute. C'est dur de marcher droit et d'être élégante avec des écrase-merdes pareils. Elle a les jambes qu'il faut pour le job, les seins refaits et les lèvres gonflées au collagène. Elle esquisse un sourire inutile et nous demande ce qu'on a choisi. Elle nous appelle « messieurs ». On lui commande une pizza tomate-jambon-mozzarella et deux demis. La formule classique. Mais vu la dégaine de la fille, je me dis qu'on va bouffer de la merde. On verra.

Il y a un vent du sud-est. Il fait pas froid. Les nappes s'agitent de temps à autre. Les flammes des bougies tremblent.

On trinque, Cúper et moi.

Une bande de gamins qui font la manche débarquent dans la foulée. Ils ont des fringues toutes déchirées, deux ou trois sont pieds nus, d'autres ont la goutte au nez. Plus ça va, plus ils exagèrent sur le look des mômes. Une des fillettes ne parle même pas un mot d'espagnol, une petite blonde. Y'en a qui racontent qu'il y a des pays où c'est pire qu'ici. C'est une manière comme une autre de se réconforter. Ou de rien y comprendre. Ou d'être con.

Les mioches arrivent par la rue pavée qui longe les quais. Quand ils nous voient, ils montent sur la terrasse. Des mecs de la sécurité surgissent de nulle part et les font descendre. Ils les touchent pas. Ils les encerclent et ils les obligent à reculer jusqu'à la rue. Mais il y en a toujours un qui s'échappe et qui revient.

Un gosse me demande de l'argent.

Je lui dis que je lui en donnerai pas.

Alors il me demande un bout du fromage qu'on nous a apporté sur une petite assiette, avec les bières. La serveuse aux talons compensés a aussi apporté du pain.

Je lui réponds que moi, j'aime le fromage et que je vais le manger.

Cúper ne dit rien. Il est assis les jambes allongées, les mains croisées sur le ventre, et il regarde les petits voiliers qui flottent sur le canal.

Pour finir, le gamin me demande une cigarette.

Je lui en file une.

Le magasin

On laisse la voiture de Cúper dans une rue avec des arbres, à côté du bar-restaurant préféré du Pélican. C'est le dernier en date qu'il a ouvert, il l'a fait construire dans une vieille imprimerie anarchiste qui, avant ça, aurait été une fonderie. Je sais pas trop si c'est vrai parce que ces types-là, ils sont prêts à te raconter n'importe quoi quand il s'agit de réinventer un passé artisanal ou progressiste à leurs locaux recyclés, leurs plafonds élevés, leurs poutres en bois et leurs piliers en fonte.

On s'arrête au coin de la rue, en face du club, on fume, on jette un coup d'œil. Il est onze heures du soir, c'est l'heure à laquelle les clients arrivent, tournent un peu à la recherche d'une place pour leurs bagnoles ou leurs 4×4, et remplissent la moitié des restos du quartier. Je me demande toujours pourquoi certains sont pleins à craquer alors que d'autres sont des déserts qui languissent pendant des mois jusqu'à ce que quelqu'un prenne la décision charitable d'en fermer les portes une bonne fois pour toutes. Et je finis toujours par me dire qu'il y a sûrement une manière d'expliquer l'inexplicable. Peut-être qu'il ne s'agit pas seulement de mettre le meilleur cuisinier du moment aux fourneaux, ni d'embaucher des bimbos qui font pas la différence entre un filet de merlu et une mostelle à la plancha mais qui s'occupent de toi comme si tu étais Brad Pitt. Ça suffit pas non plus d'avoir le meilleur carnet d'adresses de Buenos Aires, ni que le lieu soit la copie conforme d'un autre endroit branché à New York, Paris ou Amsterdam. Non. Parfois, la vérité est ailleurs. Derrière la façade, je crois, et c'est pour ça que ça reste secret. C'est pas toujours les patrons des établissements qui organisent ces affaires-là. C'est des activités parallèles, d'autres sortes de marchandises, qui attirent une autre clientèle. Quand ce genre de business apparaît, ces endroits se remplissent de top-modèles, de fonctionnaires, de cadres sup bien sapés, de bourges fauchés à l'affût d'une occasion pour revenir dans le coup, de fils à papa, tous ces parasites qui gravitent autour de ceux qui ont l'argent et le pouvoir, ceux pour qui rien n'est impossible. Alors ces établissements prospèrent grâce au fric d'une poignée d'individus qui ont dépouillé ce pays jusqu'à lui voler son âme.

Pas de paparazzi, de chauffeurs ou de gardes du corps en vue. Les gars qui s'occupent des parkings, c'est à peine s'ils remuent leur petit drapeau orange, et si tu les calcules pas, tu risques de te faire esquinter ta caisse. Ils gagnent leur croûte comme ils peuvent. Un seul phare de n'importe quelle Mercedes, Porsche ou BMW coûte plus cher que tout ce qu'ils pourront jamais gagner en passant leurs nuits à s'occuper des voitures de bourges comme si c'était leurs domestiques.

Cette nuit encore, il va y avoir des surprises.

Cúper reste à l'angle, sur le trottoir d'en face, et moi j'y vais. Je traverse et j'entre dans le bar du Pélican.

Je suis assailli par un mélange de parfums de luxe et d'odeurs de cuisine. J'entends les rires cristallins des filles glamour et les voix des mecs pleins aux as qui résonnent. Le mot « glamour », je l'ai lu l'autre jour dans un magazine. Je crois que ça vient de l'anglais, mais je suis pas sûr. Faut que je vérifie. Il me semble que ça veut dire quelque chose comme charme. Le langage et la mode, c'est comme ça. C'est pas pareil de dire qu'une fille est charmante ou glamour. Pour ce qui est des mecs pleins aux as,

il faut reconnaître que ceux qui ont du blé ne parlent pas toujours haut et fort dans les bars. C'est juste une certaine catégorie, ceux qui ne perdent pas une occasion de montrer qu'ils ont
de la thune. Ils essaient d'attirer l'attention. C'est curieux. Moi,
je suis personne, mais si j'avais du fric, j'essaierais de pas trop
me faire remarquer. Je sais pas pourquoi j'ai l'impression que
même si les filles glamour sortent avec ces types-là, au fond elles
préfèrent les mecs plus discrets. Peut-être que c'est pas vrai, que
c'est une idée que je me fais. Mais je crois qu'il vaut mieux éviter
de flamber, pour pas que les meufs te prennent pour une pompe
à fric. On sait jamais. Rien de plus mystérieux que ce qui plaît ou
pas à une fille.

Je médite ces élucubrations, et puis je passe à autre chose. Pas
question de raconter ça à Cúper par exemple, et encore moins à
Toti, qui est d'une humeur de chien depuis que les casseurs sont
venus l'autre jour... Il manquerait plus qu'il me colle un autre
surnom.

Le champagne coule, il y a du poisson cru, de l'agneau de
Patagonie, des épices d'Indonésie. Il y a aussi des odeurs de cigarette, des robes légères, des jambes infinies, des bouches laquées
de rouges brillants, des peaux bronzées sous d'autres soleils, des
t-shirts noirs, des chemises blanches, des montres en or, des
hommes aux torses poilus et aux cheveux teints ou décolorés, des
bruits de portable.

S'il y a quelque chose qui représente bien cette époque, c'est les
téléphones portables. Les bruits de portables, dans toutes leurs
déclinaisons, c'est un peu comme la bande-son d'un film sans
queue ni tête qui raconterait l'histoire de sept millions d'Argentins parlant tous en même temps dans leur téléphone. Je me suis
demandé plusieurs fois ce qu'on ferait sans les portables. Est-ce
qu'on se bougerait plus le cul ? Est-ce qu'on raconterait moins
de conneries ? Est-ce qu'on arrêterait un peu de râler ? Et avec
les économies qu'on ferait, est-ce qu'on pourrait payer la dette
extérieure ?

Le Pélican m'aperçoit tout de suite et vient à ma rencontre.

J'avale ma salive.

Subitement, j'ai mal aux oreilles.

Je crois que c'est la trouille.

Je suis pas un froussard. D'habitude. Mais le Pélican, il m'impressionne un peu. Ça a toujours été comme ça. Je voudrais bien comprendre pourquoi. Tout ce que je sais, c'est qu'il est prêt à faire des choses que moi, je ne ferais pas.

Il me prend par le bras avec une certaine délicatesse.

« Viens », qu'il me dit.

Il y a quelque chose d'étonnamment cordial, de presque humain je dirais, ce soir, chez le Pélican.

On s'assied à une table dans un coin, loin du comptoir où une foultitude de mecs et de nanas flirtent, prennent un peu de drogue, se bourrent la gueule comme si c'était nécessaire. Elle est pas très bien éclairée, cette table. Le Pélican éteint la bougie qui vacille dans une petite boule en verre. Je me détends. Je voudrais pas que les gens nous prennent pour des pédés.

Le Pélican commande un whisky avec des glaçons pour moi et une bière brune pour lui. La fille qui nous sert est ravissante.

Le Pélican dit : « J'ai appris ce qui t'était arrivé. »

Il me tend un paquet de cigarettes, des Winston. J'en allume une.

J'attends que notre ravissante serveuse s'éloigne, je bois une gorgée de whisky et je lui demande : « Comment t'es au courant ? »

Le Pélican fait un mouvement de tête, comme pour dire que ça n'a pas d'importance.

« J'étais en déplacement. Je suis rentré tout à l'heure. Et on m'a raconté que tu t'étais fait casser la gueule. »

Je suis censé savoir qu'il était en déplacement parce qu'hier j'avais pas de numéros à récupérer ? Ou bien quelqu'un lui a dit que je savais qu'il n'était pas à Buenos Aires hier soir ? Dans tous les cas, moi, ça fait deux jours que je me suis fait tabasser. Mais pour ce genre de choses, ça fait aucune différence que le Pélican ait été ici ou là-bas. Il aurait pu donner des ordres depuis n'importe où. C'est pas ça, le problème.

C'est quoi, le problème ?

Le Pélican tend la main jusqu'à mon menton et fait pivoter ma tête de profil. Il voit mes blessures recousues, mes hématomes et mon œil au beurre noir.

« Ah ouais, quand même, qu'il me dit. Ils t'ont pas raté. »

Je comprends rien.

Du coup, je vais droit au but.

« Trois mecs en Ford bleue me sont tombés dessus. Je sais pas comment ils sont entrés. Ils savaient pas ce qu'ils cherchaient. Ça fait aucun doute. J'ai pris ce flingue à un des mecs. »

Je pose sur la table le pistolet que je porte à la ceinture. Le contact avec mon 38, que je garde dans le dos, me procure une gêne plutôt agréable.

Le Pélican jette un coup d'œil au pistolet et le recouvre discrètement avec une serviette.

Il me regarde et il me montre ses dents.

Pour lui, c'est un sourire.

On pourrait presque penser que c'est un sourire amical.

« Et tu crois que c'est moi qui te les ai envoyés ?

– Oui. »

Il boit sa bière, il regarde les tables autour de nous, il regarde dehors, il voit Cúper sur le trottoir d'en face, mais ça n'a pas l'air de l'inquiéter. Il connaît bien Cúper, le Pélican. Il est sur sa liste d'attente des mecs à qui il doit filer du boulot. Mais il lui en trouve jamais. Moi je crois qu'il lui filera rien pour pas que j'aie un allié dans l'équipe.

« Pauvre crétin », qu'il me dit.

Maintenant, c'est moi qui détourne les yeux. J'encaisse. Je la ferme.

« T'as un pois chiche à la place du cerveau. »

J'avale une autre gorgée de whisky et je lui rends son regard.

Je le regarde mauvais.

Je veux qu'il comprenne.

« Écoute, minus. Pourquoi j'enverrais trois imbéciles te casser la gueule ?

– Parce qu'on t'a volé du fric et que tu crois que c'est moi. Ou que je suis mêlé à cette histoire de près ou de loin.

– Tu délires, mec.

– Ça m'arrive.

– Si je croyais vraiment que tu m'avais niqué, tu serais pas assis là en face de moi. Et je dirais même que si je pensais que tu m'avais niqué et que je t'avais envoyé mes gars te régler ton affaire, tu serais plus en vie, raton. »

Il m'appelle « raton ».

Ça me plaît pas.

Raton.

Je pense à Marú.

Peut-être qu'elle m'a pas menti, je me dis.

Mais je veux pas me faire d'illusions.

« Écoute, le Rat, me dit le Pélican comme si d'un coup j'étais devenu son confident, son bras droit ou son meilleur ami. Je suis dans une situation délicate. »

Pourquoi je tournerais autour du pot ?

Je lui dis : « Je comprends pas. »

C'est la réponse la plus facile.

Le Pélican mordille le filtre de sa cigarette. Ça me fait penser à un film. Je sais plus lequel.

Il se penche au-dessus de la table, il se rapproche et parle à voix très basse :

« Je vais te dire les choses clairement, raton. La seule raison pour laquelle j'enverrais deux ou trois abrutis t'arranger le portrait, ce serait pour que t'arrêtes de déconner avec Marú une bonne fois pour toutes. Et je t'assure que tu t'en serais pas débarrassé aussi facilement. Mais j'ai pas le temps pour des conneries pareilles. Le problème, c'est même pas qu'on baise ma meuf. C'est qu'on est en train de m'enculer. »

Je finis mon whisky.

Y'avait pas de quoi s'étouffer.

« C'est l'Ombú qui m'a envoyé ces types », je lui dis.

Il soulève un coin de la serviette et regarde le flingue du mec à la gueule de loup. Moi, je vois rien. J'ai mal aux oreilles.

Je remets ma veste correctement.

Je veux pas être gêné si jamais je dois sortir mon 38.

C'est pas l'endroit. Je sais que c'est pas l'endroit. Ni le moment. Ni dans les manières du Pélican. Mais je commence à en avoir marre qu'on me tombe dessus à n'importe quel coin de rue...

« Détends-toi, le Rat. Ça n'a rien à voir avec toi. Fais pas de conneries. Disparais un moment. Laisse Marú tranquille. Me casse pas les couilles. Et tout va bien se passer. File. »

Je me lève.

J'arrive pas à y croire.

N'importe qui pourrait s'imaginer que ce type et moi, on est des partenaires. Ou un truc du genre. Qu'on partage les mêmes galères. Qu'on est dans la même équipe. Que le seul malentendu entre nous, c'est une stupide histoire de coucherie... Cúper... Qu'est-ce qu'il va penser ?

Avant d'arriver dans la rue, j'entends une dernière fois la voix du Pélican mêlée aux conversations et à la musique de fond. Depuis le temps que je bosse pour lui, j'ai l'habitude.

« Fais gaffe à toi, raton, il me dit. Surveille bien tes arrières. »

Il m'appelle raton.

Il vaudrait mieux que Cúper n'en pense rien.

Je sors du bar.

J'entre dans le bruit de la nuit.

Le vent du sud-est souffle.

Il est tard quand on arrive enfin à Puerto Apache. Les gens dorment.

Un chien solitaire se promène dans une des petites rues latérales. Il s'arrête. Il dresse les oreilles. Il nous regarde passer. Il poursuit son chemin. C'est un chien marron, fatigué, à la dérive. Cúper gare la caisse en face de chez lui et il prie le ciel que la Mona Lisa soit couchée. Et qu'elle ne se réveille pas.

« Je l'aime, il me dit. Mais des fois, elle me fait péter les plombs.

– Reste calme », je lui dis.

Et je m'en vais.

Au fur et à mesure qu'on se rapproche de la lagune, on entend le remue-ménage habituel de l'hôtel : un peu de musique, quelques voix, le rire forcé d'une fille qui répond probablement à une mauvaise blague à laquelle il fallait bien répondre. Ça fait partie du job. C'est un bruit de fond routinier qui se confond avec le silence, avec la nuit, avec ces bruits que la nuit réveille aux alentours de la lagune.

J'arrive. Je monte. J'entre.

On dirait qu'il dort, mon vieux. Il n'a pas changé depuis la dernière fois que je l'ai vu. La seule différence, c'est qu'il a les yeux fermés.

Dans un petit fauteuil, juste à côté du lit, feuilletant un magazine en même temps qu'elle regarde un film à la télévision, Guada est assise.

Elle porte un manteau noir. Je sais pas si c'est parce qu'elle vient d'arriver et qu'elle va repartir tout de suite, ou si c'est parce qu'elle a froid. Son manteau ouvert découvre ses jambes croisées. Elle me regarde. Elle bouge la tête. C'est un geste de tristesse, ou de résignation.

Elle a quelque chose, cette nana.

Je lui tends la main. Elle dépose la sienne. Je lui propose d'aller boire un verre avant d'aller nous coucher. Elle me répond oui de la tête. Elle se lève. Une odeur de tabac et de club de striptease la suit.

Les discothèques et les clubs de striptease, ça sent pas tout à fait pareil.

Le seul endroit pour aller boire un verre à cette heure-ci, c'est au bar de l'hôtel de Madame Jeanne. Alors on prend l'escalier.

Les chaussures de Guada ne font presque pas de bruit sur les marches. Le cliquetis des talons dans les couloirs, c'est comme un battement de mesure musical et sensuel : des pas de femme. Des talons hauts. Des talons qui s'approchent. Des talons pour le soir.

On s'assied à côté d'une grande fenêtre par laquelle on aperçoit la lagune, accrochée là comme un tableau... À cette heure-ci, on ne voit rien. Guada commande un thé et un cognac. Moi, j'ai envie d'un gin tonic. On fume une cigarette. C'est comme si c'était difficile de parler. Elle finit par dire :

« J'ai rien bu depuis hier. »

Je lui demande pas pourquoi. J'imagine la réponse. « Dans ce boulot, si l'alcool te monte à la tête, t'es foutue. » Je veux pas entendre ça. Mes oreilles bourdonnent d'un sentimentalisme stupide. Je suis un mec à problèmes. J'ai un 38 sur moi. Je suis sûr que d'un instant à l'autre les choses vont empirer. À Puerto Apache, mais pas seulement. Et j'ai le cœur ramolli par une nana qui tapine et qui couche avec mon vieux.

Qu'est-ce qui m'arrive ?

La fille qui tient le bar et qui fait le service nous regarde du haut de son tabouret derrière le comptoir. De l'autre côté, une brute s'est lourdement endormie sur sa table.

Il ne se passe pas grand-chose, ce soir-là, à l'hôtel de La Lagune rouge.

D'un coup, le souvenir d'une photo me revient.

Elle est debout à côté d'une petite colonne en marbre. Elle a les jambes un peu écartées, un débardeur argenté avec des bretelles très fines, qui lui arrive juste au-dessus du nombril. Elle soulève sa mini-jupe, blanche ou bleue, je sais plus, et on voit sa petite culotte. Sa tête est tournée vers son épaule droite. Ses cheveux lui cachent un peu le visage. Mais c'est bien elle.

Sur la même page Internet, il y a une autre photo.

Elle n'a plus de débardeur, ni de jupe. Rien qu'un bustier et une petite culotte blanche à pois rouges. On la voit pas très bien. Le bustier est trop petit pour elle et la culotte pourrait être un string. Elle est à genoux sur un fauteuil, les mains appuyées sur le dossier. Je crois qu'elle porte des talons aiguille. Elle a les jambes écartées et elle regarde le mur. C'est donc ce qu'on pourrait appeler une vue arrière.

Sur la première photo, au-dessus de la petite colonne en marbre qui lui arrive plus ou moins à la taille, il y a des fleurs jaunes. Sur la seconde, à sa gauche, il y a une plante, un ficus je dirais.

On pourrait dire beaucoup de choses sur ces photos. Mais y'en a une qui fait pas l'ombre d'un doute : Guada, elle a les jambes les plus longues de tout Puerto Apache.

À seize ans, je traînais déjà dans les clubs de striptease. J'aimais bien ces parfums artificiels, ces odeurs de détergent, de chaleur, de fumée, de transpiration et de femmes. J'étais un morveux. J'avais pas un rond. Personne ne faisait attention à moi. Mais je rendais des petits services à droite et à gauche, je racontais des blagues à tout le monde et je copinais avec les filles.

Avant, bien avant ça, quand j'étais gosse, le bruit des talons hauts m'a réveillé plus d'une fois. Les filles rentraient du taf, à Pompeya, et leurs pas résonnaient dans les couloirs. Je les entendais depuis ma chambre. Je crois qu'à cette époque-là, ma mère avait déjà arrêté de turbiner…

Guada dit qu'elle a sommeil.

Je lui caresse les cheveux.

Qu'est-ce qui me prend ?

J'ai pas déjà suffisamment à faire avec Jenifer et Marú ? Sans parler d'un petit extra de temps à autre.

Y'a pas longtemps, mon vieux disait qu'il avait pris sa retraite, qu'il ne voulait plus entendre parler de gonzesses, mais que bon, à l'occasion, il aimait toujours bien tirer un petit coup.

C'est un baratineur, mon vieux.

Mate le petit coup qu'il se tirait.

Qu'est-ce qui me prend ?

Je veux me taper la meuf de mon vieux ?

Je me rappelle une autre photo, sur le même site…

On sort du bar de l'hôtel, du Palace Apache. Je raccompagne Guada jusqu'à chez elle, derrière le bar de López. On passe à côté de la 403 blanche, tout écaillée, avec une roue crevée. Un jour, je l'achèterai, cette bagnole. Je vais la réparer, la repeindre, et j'irai me promener avec. J'ai toujours aimé les Peugeot 403. Elles sont d'une autre époque.

Qu'est-ce qui tourne pas rond chez moi ?

Le QG de Barragán, c'est pas un bureau en centre-ville, un appart sur l'avenue Libertador ou une baraque dans le quartier de Belgrano. Le QG de Barragán, c'est une épicerie à Colegiales.

Je compte plus les fois où j'ai dû y aller ces deux dernières années. Plus d'une centaine. J'y vais pas tous les soirs. J'y vais tous les deux ou trois jours. Je sais pas pourquoi.

J'ai beau penser que je suis pas né de la dernière pluie, j'ai jamais vraiment réussi à comprendre comment les affaires du Pélican étaient organisées. J'imagine que les questions de sécurité, les informations tenues secrètes, tout ce qui ne se voit pas même quand on s'y intéresse de près, ça fait qu'on n'y comprend pas grand-chose. C'est tout l'intérêt. Je suppose. Qu'en fin de compte, personne n'y comprenne jamais rien. En tout cas, j'y suis passé souvent, dans ce magasin. La première fois, j'en croyais pas mes yeux. Au début j'étais impressionné, avec le temps j'ai fini par me dire que c'était un business comme un autre, et maintenant j'ai l'impression que c'est une idée de génie.

Barragán, un génie ?

C'est pas facile à admettre, mais je crois bien que c'est le cas.

À force de me voir dans les parages, le gros a commencé à me faire confiance. Ce genre de confiance que la routine finit par créer. Quand un type voit deux ou trois fois par semaine un tocard comme moi qui vient traîner ses basques chez lui, en quelques mois le tocard en question finit par faire partie des meubles, par être considéré comme un mec inoffensif, ou même digne de confiance. Alors j'ai commencé à voir des choses. La vente

au détail, par exemple. Les clients que Barragán reçoit directement au magasin et la manière dont les petites transactions
se déroulent. Une petite transaction, au magasin, ça peut être
dix, vingt, trente grammes. Parfois plus. Cinquante, voire cent
grammes. Cent grammes, question fric, c'est déjà plus une petite
transaction. Pour Barragán, ça entre encore dans cette catégorie.
Mais c'est juste à la limite. Comme pour les boxers : un gramme
de plus et ils passent de poids plume à poids léger.

Une petite transaction, ça se passe plus ou moins comme ça :
les clients réguliers appellent à la boutique sur une ligne spéciale,
un téléphone fixe, un numéro qui n'existe pas officiellement.
Ça coûte une blinde, un numéro comme ça, mais les types des
entreprises téléphoniques peuvent t'obtenir tout ce que tu veux,
même un satellite privé si ça te chante. Il ne faut jamais appeler
cette ligne depuis un portable. Il n'y a rien de plus facile à mettre
sur écoute, de plus risqué et dangereux qu'un portable. Donc, si
quelqu'un appelle, c'est parce qu'il a le bon numéro. C'est presque
toujours des mecs. Mais ça arrive aussi que des filles appellent.
En général, les mecs viennent seuls. Ou ils entrent seuls dans le
magasin. S'ils sont accompagnés par des potes, des collègues, des
gardes du corps ou qui que ce soit, ceux-là attendent dehors, au
coin de la rue. Les filles, elles viennent souvent à deux. Je sais pas
pourquoi Barragán les laisse faire. Parce que c'est des filles, je suppose. Donc indécises, forcément. T'as vu quand elles s'achètent
un sac à main ? Elles vont dans tous les magasins : et que je suis
pas sûre de la couleur, du prix, et elles se demandent tout le
temps : « Et toi, lequel tu choisirais ? » Avec la came, c'est pareil.
Au QG de Barragán, il y a beaucoup de choix, toute une gamme
de prix et un éventail de qualités différentes. C'est pour ça que
c'est un magasin. Et les filles, pour les petits achats, pour leur
« conso perso » comme elles disent, elles hésitent pendant des
plombes. Elles n'achètent quasiment jamais pour revendre. Il y
a des exceptions. Comme toujours. Mais la plupart d'entre elles
achètent pour leur usage personnel. Celles qui essayent de gratter

une marge en refourguant la came, qui achètent dix grammes et qui en moins d'une demi-heure t'en font vingt en les mélangeant avec des amphètes, de l'aspirine en poudre ou de la maïzena, Barragán s'en débarrasse. Dès qu'il les découvre, il les fout dehors. Ces ventes-là ne servent à rien. Elles sont dangereuses. Les dealers à la petite semaine, ils balancent des numéros de téléphone, des adresses, des noms, c'est une vraie plaie. Il y a aussi des mecs qui essaient de revendre, bien sûr. Des drogués, des mecs perchés, des pauvres types. Même chose pour eux. Qu'ils aillent voir ailleurs.

Barragán est gros. Ça, je l'ai déjà dit. Monti aussi, il est gros. Mais différemment. Monti, c'est un gros plein de soupe, un obèse qui s'essouffle au moindre effort, un type qui transpire tout le temps. Barragán, en revanche, c'est un porc. Les porcs ne sont pas forcément mous. Barragán, c'est un gros à la couenne dure avec un visage rougeaud. C'est comme si quelque chose se cassait dans sa peau et qu'il lui restait des petits points ou des filaments de sang violet, des taches disons, qui, quand on les regarde de près, avec attention, donnent l'impression d'une peau abîmée de l'intérieur, comme si une carte mouchetée de sang était gravée dessous.

Le QG de Barragán, c'est donc ce magasin à Colegiales, près de la place Noruega, un quartier où toutes les rues portent des noms de vice-rois, de généraux ou de poètes. L'ancienne épicerie est située au coin d'une rue, et son rideau métallique est définitivement baissé. On entre par une grande porte en fer située sur le côté. Le bureau de Barragán, c'est une petite pièce au fond d'un couloir, dix mètres carrés bien remplis avec un bureau, un fauteuil, des meubles en métal débordant de dossiers, de talons de chèques et des feuilles volantes qui ont peut-être été un jour des documents comptables ou de la paperasse de l'ancien commerce, et une demi-douzaine de chaises en bois. Il y a un vieux ventilateur sur pied qui continue à tourner les jours d'été, comme si le temps ne l'avait pas affecté. Et une télé détraquée dans un coin.

C'est ici que Barragán organise ses activités, comme un roi sans royaume, dans la dépendance d'un palais invisible. Les hommes de l'ombre sont parfois puissants. Un jour que je me trouvais là, je me suis rappelé que quand j'étais gosse, ma mère m'envoyait dans une épicerie de Pompeya acheter du *dulce de leche*, des pois cassés, de la farine, du fromage, des vermicelles pour la soupe... C'était un magasin rempli de caisses vitrés pour qu'on puisse voir ce qu'il y avait à l'intérieur. Ils s'ouvraient en tirant la vitre vers le bas. L'épicier mettait par exemple les lentilles ou la polenta dans des petits sachets en papier qu'il remplissait avec de grandes cuillères argentées, puis il revenait au comptoir et à sa balance à plateaux. Sur l'un des plateaux il disposait les poids en bronze, et sur l'autre, les biscuits, la ricotta, la semoule ou le *dulce de leche*. Il y avait des poids d'un ou deux kilos et des poids de cinquante, cent, deux cent cinquante ou cinq cents grammes... On pouvait savoir presque exactement combien pesaient les commissions dans les sachets, ou dans les emballages de papier blanc doublés de film alimentaire qui servaient à envelopper les fromages, les pâtes de fruits ou les olives.

Le magasin de Barragán, il est pareil.

La seule différence, c'est qu'ici on ne vend pas de *dulce de leche*.

Un de ses sbires me fait directement entrer dans le bureau. Le gros est enfoncé dans son fauteuil, les doigts croisés au sommet de son ventre d'obèse, d'alcoolique – ce genre de mec qui, s'il avait le choix entre une blonde sexy et une banane à la crème chantilly, opterait à coup sûr pour la banane. Les petites taches rouges et violettes sur son visage ressortent plus que d'habitude.

« Aujourd'hui, tu travailles pas, me dit Barragán sans préambule.

– Non, je lui dis.

– Alors qu'est-ce que t'as à me raconter ? »

Barragán ne fume pas.

Ça me surprend.

On pourrait penser qu'un type comme lui est fumeur. Et pas que de cigarettes. Les types comme lui fument aussi des cigares. Mais pas Barragán.

Je lui dis que pas grand-chose.

« Ça doit être parce que même si on s'est souvent croisés, on s'est jamais parlé. On n'est pas devenus potes.

– C'est vrai.

– Si t'as pas de numéros à cracher, t'as rien d'autre à dire.

– Non.

– Et aujourd'hui, y'a pas de numéros. »

Une question stupide commence à me marteler le cerveau.

Qu'est-ce qui se trame, ici ? Ou plutôt : qu'est-ce que je ne sais pas ?

« Non, je réponds à Barragán. Aujourd'hui, y'a pas de numéros.

– Bien. Alors qu'est-ce que tu fous là ? »

Les gardes du corps gigotent sur leurs chaises. Ce sont des mouvements tout à fait volontaires pour que je n'oublie pas qu'ils sont là.

Cette histoire commence à tourner au vinaigre.

La rage me descend dans le corps comme une traînée de boue épaisse, de rancœur, de haine, comme une envie de fracasser des mâchoires à coups de crosse. Une envie de voir recracher des bouts de dents cassées et d'entendre quelqu'un demander pardon.

« Regardez », je dis à Barragán.

Je lui montre ce que je ne peux pas cacher : les traces de coups sur mon visage, les cicatrices, mon œil au beurre noir, les croûtes de sang sur mes lèvres.

« Je vois, qu'il me dit.

– On m'a laissé entendre que je m'étais fait casser la gueule parce que du fric avait disparu. Moi, les numéros, je les invente pas, et je sais pas comment ça marche. Je peux pas les changer pour arnaquer qui que ce soit. Ou bien vous n'avez pas livré ce qu'il fallait, ou bien celui qui a récupéré le fric n'a pas rendu tout l'argent qu'on lui a donné.

– Je sais bien que tu peux arnaquer personne avec les numéros. Et moi, j'ai livré ce qui était convenu. Il faudrait que tu parles avec l'acheteur, ou avec celui qui a récupéré le fric de la transaction.

– L'acheteur a payé ce qu'il a reçu. »

Barragán me regarde. Il me regarde longuement. Ses yeux vitreux et fiévreux sont perdus au milieu de son visage. Il soupire. Il me fait penser à un personnage de mafioso qui essaie d'acheter un bar dans un film. Je me rappelle plus lequel. Il ôte ses doigts croisés de son gros ventre et il pointe vers moi un index curieusement fin et allongé. C'est un drôle de gros, Barragán. « Alors il va falloir que tu parles avec Marú, il finit par dire.

– Avec Marú ?

– C'est elle qui a récupéré le fric. »

Je manque de m'étouffer.

En traversant le couloir qui donne sur la rue, je vois un mec qui goûte de la coke. C'est l'employé du magasin qui dirige la dégustation.

Dans les innombrables casiers de la boutique, il y a de la coke, de l'herbe, du shit, des acides, des ecstas, de l'héro... Tout ce que tu veux. Excellente, très bonne ou juste bonne : la qualité de Barragán, ça descend jamais en dessous. Les prix non plus.

Je sors du magasin, je longe un ou deux blocs, je monte dans la caisse de Cúper, je m'allume une clope et je laisse passer un moment. Cúper, qui me comprend à demi-mot, attend un peu. Puis, sans se presser, il remet le moteur en marche et il démarre doucement. On sort de Colegiales par une rue qui débouche sur l'avenue Libertador.

À Puerto Apache, quand la nuit touche à sa fin, adossée à la porte de la maison où elle vit avec sa mère, Guada me regarde comme si j'étais le dernier des imbéciles. Elle commence à m'expliquer que Madame Jeanne voudrait l'accord de mon vieux, sa bénédiction, pour gérer les affaires de Puerto Apache après sa mort. Mais elle sait que mon vieux ne donnera pas son accord.

Ni à Jeanne, ni à Sosa le Moustachu. Ni en privé, ni en public. Encore moins en public. Et moi, je me dis pour la deuxième ou troisième fois de la soirée que j'ai vraiment la tête ailleurs et que je ne vois même pas ce qui se passe sous mon nez. D'un autre côté, je me demande si ce bordel avec le Pélican et ses histoires, ça n'aurait pas quelque chose à voir avec ce qui se passe à Puerto Apache.

Il est déjà très tard.

Je suis assommé.

J'ai la tête qui va exploser.

Mais il y a encore une question qui me travaille. L'autre soir, trois clampins m'ont enfermé dans un hangar. Au final, ils ne savaient pas s'ils devaient continuer à me triturer les os ou me liquider sur-le-champ. C'est pour ça que je voudrais bien comprendre : de qui est-ce que le crétin qui s'est pété la main en m'envoyant un pain dans la gueule a bien pu recevoir ses instructions ?

L'Ombú n'a aucune raison de faire ça.

Ou alors je me pose pas la bonne question.

Qui a bien pu donner cet ordre à l'Ombú ?

J'ai parfois l'impression de me retrouver aux portes de l'Enfer.

Gilda

Il est deux heures et demie de l'après-midi. J'ouvre un œil et je vois les draps, la penderie, un cadre accroché au mur avec une photo de la mère de Jenifer, et un peu de soleil qui entre à travers les volets fermés de la chambre. Ça fait combien de temps que j'avais pas aussi bien dormi ? Je me réveille après une nuit de neuf ou dix heures d'un sommeil de plomb. Je n'ai pas fait de rêve, je n'ai rien entendu, je n'étais nulle part, je n'étais personne. Ça fait toujours un peu paniquer de sortir d'un sommeil pareil, quand on essaie de bouger une main et qu'on sait pas si on va y arriver. Et puis on se rend compte qu'on est vivant.

C'est pour ça que je reste immobile un moment, puis je me lève tranquillement, je fais le tour de la maison, il n'y a personne. Le lecteur CD est éteint. Dans la cuisine, je me fais un café et je prends quelques biscuits au chocolat dans le paquet des enfants. Je fume. Je regarde les photos de Gilda sur les pochettes de ses albums. Elle a les cheveux châtain, les yeux marron clair et les lèvres pulpeuses. Ni trop fines, ni gonflées au collagène. Ses dents sont pas très bien alignées, à Gilda, et sa coupe de cheveux est un peu ratée. Elle a un regard et un sourire presque froids. Peut-être parce qu'elle n'a pas appris à poser devant un appareil. Ou peut-être que c'est pas de la froideur qu'on voit dans ses yeux et sur ses lèvres, mais de la tristesse. Qui sait.

Je me sers une autre tasse de café.

Qu'est-ce que je vais faire, le jour où un spécialiste m'expliquera que je dois arrêter de fumer ?

Je sais pas.

Sûrement la même chose que mon vieux.

Moi non plus, c'est pas la clope qui va me tuer.

Je mets un disque. Je me regarde dans la glace. Je suis bien amoché. Je peux toujours pas me raser. J'écoute Gilda :

> *Tu me dis que tu t'en vas,*
> *que j'dois vivre sans toi.*
> *Tu me dis que tu t'en vas,*
> *que tu n'reviendras pas.*

> *Tu te trompes, mon amour,*
> *si tu crois que je vais rester plantée là.*
> *Tu peux dire à cette fille avec qui tu t'en vas*
> *qu'on f'ra ménage à trois[1].*

Je prends une douche, je m'habille, je sors dans la rue et je m'installe dans le fauteuil en osier à côté de la porte. Le soleil me fait du bien. Avec un peu de chance, ça m'éclaircira les idées. Je vais pas tarder à broyer du noir. Je sors mon portable et j'appelle Marú. Je lui laisse un message : je suis à la bourre, j'ai pas vu le temps passer, mais je serai chez elle vers dix-sept heures.

En fouillant dans ma penderie pour choisir un t-shirt, j'ai retrouvé une petite culotte. La culotte blanche de Marú. C'est plus fort que moi. J'ai plongé mon nez dedans. J'ai l'impression que tant que cette odeur restera, je continuerai à croire que tout n'est pas encore perdu. Il y a des gens qui passent devant chez

---

1. Extraits de la chanson « Nos imeros los tres », de Gilda.

moi. Ils me disent bonjour. « Ça va, le Rat, la forme ? », « Salut l'artiste », « Hé, le Rat, tu t'es refait une beauté ? »

L'artiste.

Un chauffeur de bus de la ligne 39 passe et me dit « l'artiste ».

C'est le genre de trucs qu'on dit. Mais un jour, on l'entend plus pareil et on bloque dessus. Comment elles atterrissent dans le langage des gens, ces expressions ? C'est comme « ma couille ». « Ça va, ma couille », qu'on dit. Et en réalité, on veut dire « mon pote », « mon ami », « mon frère ». Ça n'a rien à voir avec les couilles. C'est comme ça. Qu'est-ce qu'on veut dire quand on appelle quelqu'un « l'artiste » ? Que c'est un original ? C'est quoi, le sous-entendu ?

Le problème, c'est pas de savoir combien de temps cette culotte va garder l'odeur de Marú. Le problème, c'est l'effet que ça me fait. Peut-être qu'un jour cette odeur sera encore là, même un tout petit peu, mais que ça ne me fera plus rien.

Non. C'est impossible.

Penser à Marú, ça me fera toujours quelque chose. Même si on arrête de se voir. Je peux pas imaginer de pouvoir un jour respirer son odeur, par exemple, sans que ça me donne des frissons. Le temps n'y changera rien.

Marú, c'est Marú.

C'est pas avec ce genre de raisonnement que je vais y voir plus clair, je pars en vrille, là, y'a pas que Marú dans la vie. Y'a pas que Marú, dans la vie ?

Je me dis qu'un peu de soleil me fera du bien, que ça séchera les croûtes que j'ai sur le visage.

Je sais pas quoi faire.

Par chance, Toti apparaît à ce moment-là. Je l'aperçois sur le pas de sa porte. Ses cheveux sont retenus par un large bandeau qui lui couvre tout le front, les oreilles et la nuque. Il porte un jean, des ballerines chinoises et un peignoir en soie artificielle noire.

« Qu'est-ce que tu fais, mon chou ? »

Je lui dis la vérité : « Rien. »

Alors Toti rentre chez lui puis réapparaît avec une chaise. Il vient s'asseoir à côté de moi.

« Ça fait du bien, ce soleil. »

Je lui dis que oui.

Il regarde mon visage.

« Ça s'améliore.

– T'es vraiment un pote.

– Je suis sérieux, abruti. T'as meilleure mine.

– Si tu l'dis.

– Cúper m'a raconté que t'avais sorti l'artillerie lourde.

– Cúper, il voit un lance-pierre et il croit que c'est une catapulte.

– C'est quoi une catapulte ?

– Fais pas chier.

– Il m'a dit que tu te trimballais avec un pistolet, un revolver et un couteau.

– Du lest, je lui réponds. Pour éviter de m'envoler. Je sais pas si t'as vu, mais y'a pas mal de vent.

– Mais il m'a dit aussi qu'il comprenait pas pourquoi t'es armé jusqu'aux dents puisque t'appuies jamais sur la gâchette.

– Tu l'as vu quand, Cúper ?

– Y'a pas longtemps. Il est sorti de chez lui avec la Mona Lisa. Ils ont pris la bagnole, je sais pas où ils sont allés. T'as jamais remarqué que quand la Mona Lisa veut pas que Cúper te raconte un truc, il moufte pas ?

– Si.

– Ben voilà. Ils sont partis vers midi.

– J'ai pris mes précautions, je dis à Toti, parce que la prochaine fois qu'un type lève la main sur moi, je lui explose la cervelle. »

Toti fait la moue. Il passe sa main valide derrière sa tête, dans les cheveux qui dépassent du bandeau.

« Il faut que j'aille chez le coiffeur, qu'il me dit.

– Et toi, comment ça se fait que t'étais debout à midi ?

– Je me suis couché tôt, hier soir.

– Ah bon, pourquoi ?

– Pour rien. Tu sais, je crois que la Mona Lisa a demandé à Cúper d'aller parler à son neveu.

– Son neveu ?

– Le neveu de la Mona, qui est aussi son associé. Ils ont monté une affaire ensemble à Belgrano, mais il paraît que le mec est en train de lui faire un mauvais coup et qu'il veut la laisser tomber. Il a commencé à développer d'autres activités dans son dos.

– Ah », je lui dis.

Les affaires de la Mona Lisa et les problèmes qu'elle a avec son associé, je m'en fous complètement.

« En fait, le mec finance ses investissements en détournant du fric qui devrait revenir à la Mona, et c'est pour ça qu'elle veut que Cúper s'en mêle et...

– Toti, je lui dis. Ferme les yeux. »

Il me regarde.

« Ferme les yeux et profite un peu du soleil.

– Comme t'es », qu'il me dit.

Le rendez-vous avec Marú m'est resté en travers de la gorge.

On se voit pas chez elle. Elle m'appelle juste avant, elle me dit qu'elle est dans le centre et me donne rendez-vous à dix-sept heures dans un bar de la rue Alsina. Je pensais demander à Cúper de me prêter sa caisse, mais ils sont toujours pas rentrés de leur réunion avec le neveu de la Mona. En chemin, je croise le Tordu et il me prête la Renault déglinguée qu'il utilise de temps en temps. C'est mieux que rien. Mais j'ai un petit quart d'heure de retard. S'il y a bien un truc que Marú déteste, c'est arriver la première à un rencard et devoir poireauter. Je comprends pas bien ce qui lui arrive, à cette nana, mais elle est d'une humeur de chien. Elle boit son thé au citron en ignorant tous les regards braqués sur elle. Les mecs peuvent pas s'empêcher de la reluquer. C'est toujours comme ça. Quand j'arrive, ils font ça plus discrètement, mais ils continuent. Du coin de l'œil, en promenant leur regard comme s'ils cherchaient où sont les toilettes, en appelant le serveur pour lui demander le journal, ou alors ils la matent carrément de face, comme si je faisais partie du décor. Tous les prétextes sont bons. Mais aujourd'hui, je me sens pas immortel. Je suis assis là, en face d'elle, et moi non plus je peux pas la quitter des yeux, parce que dans l'ouverture de sa veste, on aperçoit son petit pull vert, avec un col en V, et sa peau, ce triangle de peau qui descend des clavicules jusqu'à la naissance des seins.

Je commande un café.

Je prends une autre clope dans le paquet de Winston qu'elle a laissé sur la table et je la fume. Je la tapote prématurément au-dessus d'un cendrier en métal où c'est écrit *Gancia*. La cendre ne tombe pas. Une cigarette qu'on vient d'allumer ne fait pas de cendres. Je suis nerveux. Elle me rend nerveux. Qu'est-ce qui lui arrive ? J'en sais rien, et elle me le dira pas. Je la connais par cœur. Mais nous, les hommes, c'est ce qu'on croit des nanas avec qui on sort et un beau jour on se rend compte qu'on les connaissait pas du tout.

Le serveur m'apporte un café et s'en va.

On est dans un bar où Marú ne risque pas de croiser des gens importants, et où elle se fout complètement que quelqu'un puisse me reconnaître. Autrement dit, on est hors circuit. Ici, on joue au baby-foot, au rami, on tape le carton. Des trucs de petits joueurs. On est loin des grands tournois, du monde de la nuit et du sexe, de l'habileté et du bluff des joueurs professionnels. Catégorie amateur.

Je la hais.

Parce qu'aujourd'hui, elle veut me mettre sur la touche.

Out, comme ils disent dans les films américains.

Je ne dois pas me mettre en travers de son chemin, de celui du Pélican, ou de Dieu sait qui d'autre. J'ai pas le droit, j'ai pas intérêt.

C'est presque la première chose qui me passe par la tête.

Un peu plus tard, avant qu'elle s'en aille, je me dis que tout ce qu'elle m'a raconté, c'est pas que du baratin, de la poudre aux yeux, un numéro pour m'embobiner.

Il y a des choses que je ne sais pas encore. Mais je ne me trompe pas. Marú a peur. Je l'avais jamais vue comme ça. Marú qui a la trouille. Un animal nouveau.

Mais c'est pas ce qu'elle dit qui lui fait peur, c'est autre chose. Sauf que ça, je le comprendrai plus tard.

Le deuxième truc que je ne peux pas savoir, quand elle se lève et qu'elle s'en va, quand elle sort du bar en emportant avec elle les regards de tous ces types, quand moi aussi je la regarde partir, dépité, et que je suis des yeux ce corps qui se balance dans les airs comme s'il défiait les lois de la pesanteur, ce que je ne peux pas savoir, c'est que c'est la dernière fois que je vois Marú.

J'ignore encore tout ça. Donc je finis mon café, je prends une autre clope dans le paquet qu'elle a laissé sur la table comme un oubli, un cadeau, une aumône, et je ressasse ce qu'elle m'a dit, tout ce qu'elle m'a dit.

Puis je sors du bar, je monte dans la Renault que j'ai garée vers la rue Defensa et je roule sans savoir où aller.

Une dernière fois, je me repasse le film dans la tête.

Marú me reproche de faire beaucoup de bruit pour rien. Elle me dit d'oublier le Pélican, Monti, Barragán, l'Ombú, Tony, les types qui m'ont tabassé et tous les personnages de cette histoire. Marú répète que tout ça n'a rien à voir avec moi. Que c'est pas moi, le problème. Selon elle, c'était une erreur de calcul de m'avoir envoyé ces abrutis, parce que ça s'est pas passé comme prévu, ou que ça n'aurait pas dû se passer comme ça. Un truc du genre.

« C'est pas toi le problème, mon petit Rat. »

J'entends sa voix. Elle m'appelle « mon petit Rat ». C'est un flash. Juste un flash. C'est la dernière fois que je me suis senti immortel. À peine le temps d'un soupir.

Marú me dit que le Pélican sait que je n'ai rien à voir avec la thune manquante. Que des fois, il pique une petite crise de jalousie, il perd un peu patience, mais c'est tout. Elle me dit que j'ai juste servi d'appât. Que j'ai intérêt à me barrer parce que sinon, je suis foutu. Et elle me dit que ça lui fout les jetons.

« J'ai peur. Je suis dans la merde. S'ils arrivent à convaincre le Pélican que c'est moi qui ai gardé le fric, je suis morte. Vraiment. C'est pas des enfants de chœur. Sauve ta peau. Va-t'en.

– Et toi ?

– Je sais pas. Il faut que ce fric réapparaisse.

– C'est combien ?

– Dix mille.

– Et moi ? » je lui demande, comme un imbécile.

Elle se lève. Elle prend son sac à main. Elle esquisse à peine un sourire, sans en avoir le temps. Ou un sourire d'une autre époque. Je préfère croire qu'elle se souvient de quelque chose d'agréable. Elle me dit :

« Toi, t'as juste servi d'appât. »

Et elle sort du bar avec cette démarche un peu étudiée mais parfaitement maîtrisée qui rappelle celle d'un pur-sang.

« Le neveu de la Mona Lisa a commencé quand il avait treize ans », me dit Toti.

Je répète : j'en ai rien foutre du neveu de la Mona Lisa. Mais Toti est déterminé à me raconter cette histoire comme si ça le concernait de près, ou comme si c'était la clef d'une intrigue.

Le soleil me réchauffe les paupières, les lèvres, le nez.

Je voudrais être quelqu'un d'autre.

Ça me vient, comme ça.

Je me dis que je voudrais être quelqu'un d'autre. Être dans un autre corps, une autre tête, ou ne pas être du tout. C'est une manière de penser qu'on peut avoir une vie meilleure. Parce qu'avec la vie qu'on a, c'est difficile de croire qu'on peut faire changer les choses.

« Ce mec, reprend Toti, il a commencé en faisant la manche. Il ouvrait et refermait les portes des taxis, il grattait quelques pesos aux clients du café La Biela, et il s'en sortait pas trop mal. Alors il a recruté une bande de gamins pour couvrir la zone qui va de la rue Guido à la rue Quintana, de l'église et du cimetière jusqu'à la rue Callao. Des garçons et des filles de neuf, dix, onze ans... Le neveu de la Mona leur apprenait des rudiments de lecture, il leur donnait des consignes, il les surveillait de près. Il leur demandait pas un pourcentage, il prenait une part fixe. Tant par jour. Les mômes gardaient le reste. Avec le temps, il s'est endurci, le mec. Des fois, il fallait recadrer un des gamins de la bande, lui flanquer une bonne raclée. D'autres fois, il fallait tabasser un mec qui voulait s'incruster ou récupérer la zone. Et puis, ça s'est corsé. Alors il a dû négocier avec les flics du secteur, acheter leur protection, passer des accords avec les autres réseaux. La rue, elle te fait pas de cadeau. Elle a ses propres lois. Tout le monde ne survit pas, dans la rue. Mais le type a développé son business, il s'est fait de la maille, les gamins qui bossaient pour lui ne l'adoraient pas mais ils le respectaient, ils avaient peur de lui, ils lui obéissaient. Ça roulait. Maintenant, ils sont une trentaine... Tu veux que je roule un joint ?

– Non, je dois y aller. J'ai des choses à régler. La rue fait pas de cadeau, tu sais !

– Te fous pas de moi. »

Toti se roule un stick et le fume tout seul.

C'est impressionnant qu'il se débrouille déjà aussi bien, avec son attelle.

« Tu sais pas ce que tu perds, il me dit.

– Non, mais j'imagine. Qu'est-ce qui t'arrive, Toti ? Fous-moi la paix. »

Je supporte plus le soleil, l'histoire de l'associé de la Mona Lisa, ni mon pouls qui s'accélère quand je me rappelle que je vais bientôt voir Marú.

« Tu crois que Puerto Madero va finir comme le quartier de la Recoleta ? je demande à Toti.

– C'est comment, maintenant, la Recoleta ?

– Le rendez-vous des clodos, des voleurs et des putes. »

Toti me regarde.

Il tire une taffe sur son joint.

« Ouais, qu'il me dit. Ça va être la même histoire. Dans ce pays, ce sera toujours la même histoire. Ou même pire.

– Et les bourges, qu'est-ce qu'ils vont faire ?

– Ce qu'ils font toujours. Ils vont se tirer. Ceux qui ont assuré leurs arrières vont aller vivre à Miami. Et ceux qui ont encore des affaires en cours, des business au black ou des arnaques à monter, ils vont aller s'installer dans des quartiers sécurisés, des villes privées, des forteresses avec des armées de vigiles tout autour, pour surveiller leurs villas, leurs bagnoles, leurs écoles, leurs terrains de golf... Quand il y aura plus rien à voler dans ce pays, quand il restera plus rien, plus rien du tout, alors eux aussi, ils vont se tirer. Et dans les quartiers sécurisés, les villes privées, les forteresses, les seuls qui vont rester, c'est les coiffeurs, les coachs et les dealers. Alors, ça va se remplir de clodos, de voleurs, de putes et de travelos. »

Il fume.

Maintenant, il est un peu en colère.

« Qu'est-ce qui t'arrive, mec ? » qu'il me demande.

Je lui dis que rien, d'un signe de tête.

Il souffle la fumée qu'il a retenue dans ses poumons. Il reprend :

« Le truc, c'est que ce business-là, il l'a monté tout seul. Après ça, il en a lancé un autre. Il faut toujours chercher à se développer, tu vois. J'avais un chéri qui disait que c'était la loi de l'économie moderne. Donc, il s'est lancé avec un groupe de petits jeunes qui se sont spécialisés dans les cinémas de Belgrano. Pour ce coup-là, il s'est associé avec la Mona Lisa. D'abord parce que la Mona s'entend mieux avec les pédés, et aussi parce que Belgrano, c'est à l'autre bout de la ville. On peut pas être à deux endroits à la fois. Le boulot des mecs qui bossent pour la Mona et son neveu, c'est d'offrir leurs services aux tapettes qui vont voir des films dans les cinés de l'avenue Cabildo. S'envoyer en l'air dans les cinés, à trois, quatre heures de l'après-midi, quand y'a personne, c'est plus facile qu'il y paraît. Les mecs demandent du fric aux tarlouzes, ils se laissent tripoter, ils leur sucent la queue, et des fois ils doivent niquer. Pour ça, ils s'assoient sur leurs genoux ou ils les emmènent aux toilettes. C'est facile. Il y a des exceptions, mais un pédé qui paie pour aller au ciné lâche facilement sa thune et jouit rapidement. Des fois, ça leur coupe même l'envie... Je sais pas, ça leur fout la trouille, ils font le signe de croix, ils te demandent si t'es un flic ou un voleur... C'est super facile, je te jure. À Belgrano, y'a moyen de se faire du blé.

– J'ai connu une nana, je lui dis, une psychanalyste, qui vivait à Belgrano et qui a déménagé à Madrid.

– Ah, me dit Toti, un peu vexé. Et c'est quoi le rapport ?

– Rien, je lui dis. Mais cette fille disait qu'à Belgrano, à force de croiser des bourges qui pétaient plus haut que leur cul, elle a fini par avoir la nausée. Ça, je m'en souviens. Plus on s'élève, plus ça devient difficile de respirer.

– Ah ouais ? Et dans les Andes, ils font comment ?

– Ils ont le mal des montagnes.

– T'es vraiment insupportable aujourd'hui, me dit Toti.

– Qui ? Moi ? »

Il ôte son bandeau, passe ses doigts dans ses cheveux, resserre sa queue de cheval et remet son bandeau.

« Oui, toi », qu'il me dit.

Finalement je gare la Renault déglinguée dans un parking, j'appelle Cúper, qui est rentré chez lui, je lui dis où j'ai laissé la bagnole du Tordu et je le préviens qu'on se verra pas avant demain soir. Je ne réponds à aucune de ses questions, mais je lui demande de passer chez moi voir si tout va bien. Il me dit que la rumeur d'une nouvelle invasion de Puerto Apache circule, je lui réponds qu'il faut tenir bon, il me dit que ceux qui n'ont pas de toit au-dessus de la tête pour l'instant, ce sont les squatteurs. Je me dis que ce monde est pourri, mais je veux pas trop y penser. Alors je raccroche, je prends un taxi jusqu'à la gare routière de Retiro et je monte dans un car pour Rosario.

Il y en a pour quatre heures de trajet.

Je suis assis au deuxième rang, côté couloir.

Pendant quatre heures, je n'arrive pas à décoller mes yeux de la route. En face de moi, la bande d'asphalte tourne au violet avec le coucher de soleil, puis au noir, à la lumière des feux avant. De temps en temps, j'essaie de compter les traits de peinture blanche qui délimitent les voies de l'autoroute. C'est impossible. En plus, la ligne s'allonge, se dédouble ou devient jaune d'un instant à l'autre.

C'est interdit de fumer dans le bus, mais le deuxième chauffeur, celui qui n'est pas au volant, fume. Il se sert un café à la machine qui est au fond, il revient, il parle à l'autre, celui qui conduit, et il allume une cigarette. Ces types-là parlent toujours des voyages qu'ils ont faits, de leurs collègues, de villages perdus dans le trou du cul du monde. « Tu te rappelles de Marino, celui qui faisait Buenos Aires-Bahía Blanca ? Il a arrêté de bosser. Il s'est installé à Bahía Blanca. » « Sans blague ? » lui répond le chauffeur. « J'te jure. Il s'est trouvé une nana qui tient une station-service et il est resté là-bas. » « Elle est bonne, la nana ? » demande le chauffeur. L'autre boit une gorgée de café. « Qu'est-ce que ça peut te foutre », qu'il lui répond.

J'arrive à Rosario vers onze heures du soir. La gare est à l'angle de Cafferata et Santa Fe. Ma vieille vit à Barrio Echesortu. Je prends un taxi. Il fait pas froid. J'ai la dalle.

Je pense à rien.

Quand j'arrive à la maison, je me retrouve nez à nez avec la cousine de ma vieille, l'institutrice qui m'a appris à lire. Elle est un peu plus âgée que moi. Elle boit du vin et regarde la télévision, dans la cuisine. Elle ne s'est jamais mariée. Je sais pas pourquoi. Elle se dresse sur la pointe des pieds pour attraper un pot de chapelure qui se trouve sur une étagère en hauteur, et je vois ses jambes, ses cuisses moulées par le tissu d'une robe bleue à pois blancs. C'est une jolie fille.

Aujourd'hui, je me souviens qu'elle s'appelle Ángela.

Ma mère dort.

« Elle est fatiguée, tu sais. »

Je lui dis que oui.

Elle me prépare quelque chose à manger.

« Tu vas la réveiller ? »

Je lui dis que non, que je lui parlerai demain.

Elle pose une bouteille de vin sur la table, un siphon d'eau pétillante, du pain, du fromage et un peu de saucisson.

« Mange », elle me dit.

Je lui demande comment elle va.

Elle arrête un moment de surveiller la cuisson et elle tourne un peu la tête.

« Bien. Moi, je vais bien. »

Je mange deux escalopes panées avec de la salade. Il y a des oranges. J'aime pas l'odeur que ça laisse sur les doigts quand on les épluche. Ángela m'en pèle une. Elle est juteuse, sucrée. Je la remercie. Elle ne dit rien, elle s'assied en face de moi, elle se sert un verre de vin. Elle enfonce ses mains entre ses cuisses. Elle penche un peu la tête. Elle aimerait bien pleurer, je crois.

Je m'appuie contre le dossier de la chaise, j'allonge les jambes, ça me fait bizarre d'être à cette table, dans cette cuisine, chez ma vieille à Rosario. Il flotte une odeur de friture, de café, de femmes seules.

Ma mère a quarante-six ans. La maladie est en train de la tuer.

Ángela n'a plus besoin de m'apprendre à lire.

Et moi, j'ai pas envie de lui parler de ma vieille.

On n'a rien à se raconter.

Je suppose que c'est pour ça qu'elle me demande une cigarette. Je gratte une allumette et elle approche sa tête de ma main. Elle fume. Par moments, elle jette un coup d'œil à la télévision. Puis elle dit :

« Je vais y aller. »

Et elle se lève.

Je me lève aussi. Je m'approche d'elle. Je la touche. Elle ne sait pas comment réagir, ou ne s'y attendait pas.

« Qu'est-ce qui t'arrive ? Pour qui tu te prends ? »

J'essaie de l'embrasser, elle esquive, elle veut se dégager, elle me frappe un peu la poitrine, je crois qu'elle n'ose pas frapper plus longtemps, ni trop fort. Peut-être que je lui fais de la peine avec ma gueule amochée. Qui sait, elles sont bizarres, les nanas. Maintenant elle s'adoucit, elle résiste moins. Je l'ai coincée entre le mur, le frigo et la table en plastique imitation marbre, et finalement elle ne s'avoue pas vaincue mais elle permet que je la prenne dans mes bras, que je respire l'odeur de son cou, et elle me dit :

« Non, pas comme ça, s'il te plaît. »

On reste enlacés.

Elle se détend.

Moi aussi.

On va se coucher sur un canapé, dans une pièce qui sert surtout à entasser des trucs, le genre d'objets qu'on accumule dans toutes les maisons mais qui ne réapparaissent jamais quand on les cherche.

On finit pas s'endormir dans les bras l'un de l'autre, et cette nuit-là rien ne vient nous arracher à ce sommeil où on se croit libre parce qu'on a réussi à se sortir d'une impasse.

Quand je me réveille, à sept heures et demie, elle n'est plus là. Elle est déjà partie pour l'école, au bidonville, je me dis, faire la classe, apprendre à lire à une bande de sales gosses qui doivent l'appeler « maîtresse ».

Alors la première chose que je fais, c'est ouvrir une armoire qui se trouve dans un coin, où ma vieille range ses sous et ses affaires importantes. Je trouve la boîte en bois que je connais depuis que j'ai six ou sept ans, quand on vivait à Pompeya. Ma vieille, elle a toujours gardé ses économies dans cette boîte. Moi, je lui en envoie souvent, de l'argent. C'est pour ça que j'ai pas de remords. Je prends dix mille dollars. Il lui en reste sept mille trois cents.

Je vais à la salle de bain. Je me lave les dents. J'ai meilleure mine. C'est pas encore tout à fait ça, mais ça va mieux. Même si c'est sûr qu'il n'y a pas de quoi rassurer ma vieille, non plus. Je retourne dans la cuisine, je prépare du café. J'attends que ma mère se réveille.

Je vais lui demander comment elle se sent, et elle va me répondre comme ci comme ça, ou plutôt que ça va, que son état est stable, que la maladie ne progresse plus, ce qui est bon signe, et elle aussi, elle va me demander ce qui m'est arrivé.

« Qu'est-ce qui t'est arrivé, mon poussin ? »

Elle va m'appeler « mon poussin ».

« Rien de grave », je vais lui répondre. Et tout de suite après, sans tourner autour du pot, je lui dirai que le vieux va mal, très mal, et elle comprendra qu'il va vraiment mal, que c'est sérieux, et elle me demandera sûrement si ce que j'essaie de lui dire, c'est qu'il va peut-être mourir. Oui, je lui dirai, il va peut-être mourir, et je lui demanderai si elle veut venir à Buenos Aires avec moi, par exemple.

Je lui demanderai si elle veut le voir une dernière fois.

J'aimerais qu'elle me dise oui.

Mais je sais que non.

« Plus maintenant, mon poussin. Pardonne-moi. Je ne veux pas le revoir. Même pas une dernière fois. »

C'est ce que ma vieille me répondra, j'en suis sûr.

La Mona Lisa

Toti tire une dernière taffe sur sa clope et la jette au loin. Il retient un peu la fumée avant de la recracher, et il regarde les semelles en caoutchouc de ses ballerines chinoises.

« Elle est complètement cinglée, la Mona Lisa, qu'il me dit. Cúper arrive à la supporter, mais il supporterait n'importe qui. »

Je ne fais aucun commentaire. Il peut bien raconter ce qu'il veut. Au fond, on a tous nos mauvais jours. Toti aussi, c'est mon ami. Je me dis qu'il a le droit de parler et que moi, j'ai le droit de me taire.

« Tu sais ce qui lui plaît, à Cúper, chez cette folle ? Je vais te le dire. Il aime bien la sauter vite fait bien fait, en pleine rue, et que les gens les regardent. Tu sais, quand elle s'énerve, et qu'elle commence à lui répondre et à lui parler comme à un chien ? Quand elle lui fait son numéro de diva, qu'il ne bronche pas, qu'il la prend par le bras pour l'asseoir sur ses genoux, la tripote un peu et que madame se calme illico ? Moi, je crois que ça leur plaît à tous les deux de se donner en spectacle et de se faire mater. C'est une perversion comme une autre. Des cas comme ça, dans mon boulot, j'en vois tous les jours. »

Il est en train de parler de Cúper, c'est-à-dire de mon meilleur ami.

Mais je la ferme. Quand Toti est mal luné, vaut mieux pas le contredire, même s'il taille un short à tous tes potes.

Il faut que tu comprennes
qu'aujourd'hui nous vivons
dans des temps modernes[1].

Gilda chante. J'arrive pas à savoir si ses chansons me plaisent. Celui-là, c'est l'album préféré de Jenifer. Je me demande depuis combien de temps j'ai pas vu mes gamins.

Tu peux dire à cette femme
avec qui tu t'en vas
qu'on f'ra ménage à trois.

« Moi, je sais ce qu'elle veut, la Mona Lisa », reprend Toti.
Il commence à me taper sur le système, j'ai envie de lui fourrer son bandeau dans la bouche, qu'il la ferme ou bien qu'il change de disque. Qu'est-ce qui lui arrive, aujourd'hui ?

On vivra tous les trois,
on f'ra ménage à trois.

Gilda chante.
À quoi elle joue, Gilda ? À la féministe pour cœurs brisés ?
« Elle veut que Cúper s'occupe de ce qui se passe au cimetière. Ma main à couper. Elle veut faire comprendre à son neveu qu'elle est maquée avec un gars et que ce gars supervise les opérations. Quand il y a un groupe de filles à gérer, il faut un mec pour tenir les rênes. Les putes, tu les fais pas filer droit en leur collant une autre nana sur le dos, deux ou trois gueulantes et une paire de gifles. Et l'associé de la Mona Lisa non plus. Tu feras croire à personne que

---

1. Cet extrait et les cinq suivants sont tirés de la chanson « Nos iremos los tres », de Gilda.

c'est comme ça qu'on s'occupe des filles. Comme elle en a marre de remplir le frigo pendant que Cúper roule des mécaniques et n'en glande pas une, elle a trouvé la parade : qu'il aille bosser au cimetière. Y'a tous les tombeaux des grandes familles. Tous ces bourges que Cúper rêve de fréquenter, ça lui plaira. »

Alors il se marre, mon pote Edmundo Botti, le travesti, comme s'il avait dit un truc drôle. Moi, je comprends rien à cette histoire de cimetière.

Je me dis que Madame Jeanne, elle se débrouille comme une chef avec les filles, mais je le garde pour moi.

« Toti, je l'interromps, tu me saoules, là. Ça te réussit vraiment pas de te coucher tôt. Ni de fumer des pétards. Peut-être que tu fais de l'artériosclérose ou qu'un eunévrisme t'a pété dans les couilles. C'est quoi ces conneries ?

– A-névrisme, me corrige Toti, et je me sens humilié. Eunévrisme, ça existe pas. On dit a-névrisme. »

Qu'il me corrige, moi, avec l'obsession que j'ai pour les mots.

J'ai envie de disparaître.

« Quand on veut bien causer, faut se cultiver, me lance Toti. Y'a pas le choix. Le ridicule ne tue pas les imbéciles. Mais ça peut être fatal aux intellos du ghetto. »

Je la ferme. Je le laisse savourer sa victoire. Mais pourquoi il a fallu qu'aujourd'hui justement, alors qu'il est en train de me pourrir la journée, je lui tende le bâton pour me faire battre ?

« Je te parle du business que le neveu de la Mona a monté au cimetière, reprend Toti. Une dizaine de gonzesses qui emballent des gros bonnets, des étrangers, des paumés, des vieux libidineux au mausolée de Sarmiento, près de la tombe de Rosas ou au panthéon des Duarte, où Evita est enterrée. Tirer un coup dans la nécropole la plus distinguée du pays. Une nécropole, répète Toti, tu sais ce que c'est, non ?

– Toti, ce serait un miracle, mais t'aurais pas tes règles ? »

Il cligne des yeux sans quitter du regard ses ballerines chinoises. Il secoue un peu la tête. Il est furieux, indigné, offensé. Je l'observe un instant, ce bêta, et je sais que même si ça va me coûter cher, j'ai réussi à lui fermer son clapet. Maintenant, avec un peu de chance, il va peut-être cracher le morceau.

Je laisse passer un moment et je lui demande :

« Qu'est-ce qui t'arrive ? »

Il se mord les lèvres et ses yeux se remplissent de larmes.

« T'es un enfoiré, qu'il me dit.

– Allez, raconte. »

C'est à ce moment-là que mon portable sonne et que Marú me dit qu'elle est sortie, qu'elle ne pourra pas être chez elle à cinq heures. Et qu'après, elle n'est pas libre non plus. Elle me file rendez-vous au bar de la rue Alsina, entre Bolivar et Defensa. « Bisous », elle me dit. Et elle raccroche. J'ai pas le temps d'en placer une. Est-ce que j'ai encore une place dans sa vie ?

Le vent du sud-est est tombé. Il n'y a plus de vent du tout. Les feuilles des arbustes sont immobiles. Le ciel est transparent. Toti essuie une larme du revers de son attelle. Je lui demande :

« Qu'est-ce qui te met dans cet état ? »

Il regarde ailleurs.

« Des fois, j'ai envie de t'en foutre une, qu'il me dit.

– Allez, raconte.

– T'es trop con.

– Qu'est-ce qui va pas, frangin ? »

Ça fait du bien que quelqu'un nous appelle « frangin », parfois. Peut-être que ça lui mettra un peu de baume au cœur. Il tourne légèrement la tête vers moi, il a les yeux tristes, le teint pâle, et il me dit :

« Je suis amoureux. »

Je sens que j'ai pas intérêt à plaisanter avec ça.

« De qui ?

– De Jipé.

– Je le connais ?

– Toi, faut que tu redescendes de ta planète. Bien sûr que tu le connais.

– Jipé ? J'te jure que ça me dit rien.

– Le réalisateur...

– Celui qui est venu faire le documentaire ?

– Oui.

– Dis donc...

– Mais tu sais quoi ?

– Non ?

– Il est maqué.

– On est toujours maqué au moment de rencontrer quelqu'un d'autre.

– Ça fait neuf ans qu'ils sont ensemble. »

Je ferme les yeux et je tourne mon visage vers le soleil pour faire sécher mes croûtes.

Pour être convaincant, il faut dire les choses comme si on en était vraiment convaincu. Ça sert à rien de s'attarder sur les problèmes, parce que même s'il se noie dans un verre d'eau, un pote en détresse a besoin qu'on lui tende la main.

C'est pour ça que je dis à Toti, comme si ça ne faisait aucun doute :

« Il pourrait bien être maqué depuis l'école primaire, maintenant c'est toi qu'il a dans la peau. »

Toti ouvre la bouche. Je le vois pas. Je l'imagine. Je sais pas si ça l'a rassuré.

« J'espère que t'as raison... » il me dit.

On marche autour du lac du parc Independencia, à Rosario. Il y a des petits couples d'étudiants qui se promènent en canots. Les garçons rament. Les filles rêvassent. Ou elles font semblant. Je regarde l'eau verte, l'île au milieu du lac, les canards et les cygnes qui flottent sur l'eau. Comme d'habitude.

« Mon petit Pablo ! me dit ma vieille quand elle finit par se lever, ce matin, et qu'elle me trouve dans la cuisine. Qu'est-ce que tu fais là ?

– Rien », je lui dis.

Qu'est-ce que je pouvais lui répondre ?

Elle a un peu maigri, elle a l'air affaiblie, mais quand elle m'aperçoit, un sourire illumine son visage et je me dis que c'est encore une femme jeune, une femme séduisante. Ça me déchire le cœur. Mais on est pas dans un mélodrame. À quoi ressemblerait ma vieille si elle n'était pas tombée malade ? À une femme capricieuse, qui en voudrait aux hommes du monde entier ? À une putain triste, sans sexe, sans âme ? J'en sais rien. Et je suppose que personne ne sait.

Alors je lui prépare son petit-déjeuner, et un peu plus tard, quand le soleil se lève, je lui dis de bien se couvrir et je l'emmène faire un tour. On commence par aller à la rivière, au port fluvial. L'automne s'est adouci. Après, on continue la promenade, on fait une pause dans un bar qu'elle ne connaît pas, face à la douane. Ça lui plaît. Elle commande une citronnade. Et on lui sert une vraie citronnade faite maison. Ici, c'est comme ça. D'où est-ce qu'elle sort ces choses-là, les coiffures au râteau, la naphtaline, les veilleuses, la citronnade ? Je voudrais croire qu'elle est contente. On est tous un peu étranges, parfois. Mais je me dis que pour un fils, il n'y a rien de plus étrange que sa mère. Je ne sais presque rien de mon vieux, mais je ne le trouve pas incompréhensible. Alors que même si j'en sais beaucoup sur ma mère, j'ai toujours un peu de mal à la comprendre. Je sais pas ce qu'elle pense, ce qu'elle veut, ce qu'elle attend de la vie. Peut-être qu'elle a déjà baissé les bras. Ou que la seule chose qui lui importe, c'est que la maladie ne la fasse pas souffrir. Qui sait.

« Il est joli, ce bar, qu'elle me dit. Je le connaissais pas. Je sors presque jamais. J'ai de la chance que tu m'aies offert cette nouvelle télé, mon poussin. Elle est encore mieux que celle que j'avais avant. J'aime bien regarder des films. Lire des romans, ça m'intéresse plus autant. Maintenant, je préfère regarder des films. Ça ressemble plus à la vraie vie, non ? »

Après ça, on prend un taxi et je l'emmène au parc Independencia. En fait, on va aux endroits où j'ai envie d'aller. Pour elle, c'est pareil. Elle a l'air contente. Même si j'irais pas jusqu'à dire heureuse.

Au bord du lac, il y a une pergola soutenue par des colonnes en pierre.

Elle a toujours été là.

Quelques tables sont installées. On s'assied sur des chaises en laiton. Ma vieille boit un thé, et moi je prends une bière en mangeant des cacahuètes. Elles sont encore dans leur coque. Ça m'amuse. J'aime bien quand on les ouvre et qu'on trouve trois ou quatre cacahuètes dedans.

« C'est des graines, dit ma vieille. Tu savais ?

– Non.

– Eh ben si. Les cacahuètes, c'est des graines. Je te le dis pour que tu saches, comme tu as une obsession pour le sens des mots, mon poussin. Tu as toujours été comme ça. Ça, qu'est-ce que ça veut dire, et ça comment ça s'écrit... Mais tu sais pas écrire.

– Si, maintenant j'ai appris. »

Elle me regarde. Avec ses yeux noirs.

« Ah oui, c'est vrai. »

Alors je lui dis que le vieux ne va pas bien, et je lui demande si elle veut venir le voir, à Buenos Aires, avec moi...

Elle détourne le regard vers les cygnes qui se promènent sur le lac.

Elle boit une gorgée de thé.

« Non. Pardonne-moi. Je ne peux plus. »

L'inauguration du cinéma L'Avenue est une fête. Le type qui travaille dans le vidéo club de Barracas a deux associés. Je sais pas comment ils se procurent les films. Je crois qu'ils les louent. Ils organisent une fête et tout le monde vient. Dans le hall, ils ont installé des tréteaux et des planches recouvertes de nappes en papier. Il y a des petits fours, des gâteaux, du Coca et du cidre. Je vais au Palace Apache, et le cinéma est sur mon chemin. Tu sais lesquels je préfère, de gâteaux ? Les petits roulés fourrés au *dulce de leche*. Il paraît que pour la séance de l'après-midi, le cinéma était rempli. Maintenant, c'est la fête. Ils repasseront le film après. Il y a Bruce Willis dedans. Je crois que ça s'appelle *Le Dernier Samaritain*. Le Tordu, Garmendia, Madame Jeanne, Sosa le Moustachu, Anchorena, la grosse Susana, Rosa et Morales sont là, en train de boire du cidre. Et collés à la table, agglutinés autour des petits fours, je vois Momo, Romina, le Ramollo, Julián, la Perruche, Filet Mignon et le petit Ricardo, qui font des blagues et qui rigolent. Il y a Isabel, la mère de Guada, qui est toujours de bonne humeur et qui est fan de Tránsito Cocomarola. Les gens l'aiment bien, ils l'appellent Isa. Guada n'est pas là. Cúper non plus. Ni la Mona Lisa. Ni Toti. Les gamins qui jonglent aux feux rouges de la rue Figueroa Alcorta sont là aussi. Il y a des gens de tout le quartier, y compris certains que je ne connais pas encore. Le Puerto s'agrandit. Garmendia me raconte que le cinéma a quatre-vingt-dix places. Les fauteuils viennent d'une salle qui a fermé. Les petits jeunes les ont récupérés pour trois fois rien dans un dépôt de l'avenue Castanares, à côté du cimetière San José, dans le quartier de Flores. Le local du cinéma L'Avenue, c'est un hangar qu'on allait réaménager pour en faire une école. Mais finalement, elle a été installée ailleurs. Il payent un loyer au Palace Apache, les trois petits gars, et ils projettent des films. C'est pas cher. Deux pesos l'entrée.

Je continue mon chemin.

Si tout le monde est là, je me dis que le bar de La Lagune rouge doit être vide.

Si tout le monde est là, qui est resté avec mon vieux ?

Peut-être Guada.

Ou peut-être pas. Peut-être qu'il n'y a personne et qu'il est en train de crever tout seul comme un chien.

Je suis rentré de Rosario tout à l'heure. La première chose que j'ai faite, c'est passer chez Marú. À l'improviste. Crespo était à son poste. Il m'a fait un clin d'œil et s'est aussitôt retourné vers la mini télé cachée dans le meuble de la réception.

Je suis entré. Marú n'était pas là, mais elle laisse toujours les lumières allumées, un disque qui tourne en boucle, quelques fringues éparpillées, et une fenêtre entrouverte par laquelle pénètre l'air frais de la nuit. Je monte dans sa chambre. Le lit est défait, les oreillers sont par terre. Je tire un peu la couverture et je vois des taches sur les draps blancs. Des taches qui ne laissent aucun doute. Je rabats la couverture. Son coffre est ouvert, comme d'habitude. Il n'y a rien de nouveau : des bagues, une broche, des chaînes, des bijoux fantaisie, une poignée de billets de dix dollars, rien d'important. Il y a aussi un billet d'un dollar roulé en tube. Le dépliant d'un hôtel cinq étoiles à Punta del Este où elle va parfois quand le Pélican n'est pas à Buenos Aires. Je ne lui ai pas demandé, au bar de la rue Alsina, si c'est vrai que c'est elle qui a récupéré le fric de Monti, à la dernière transaction. Comme me l'a raconté le gros Barragán. Bon, en supposant que ce soit vrai, que le gros n'ait pas menti : qu'est-ce que ça voudrait dire ? Je me souviens qu'au bar, elle m'a dit qu'elle avait peur, et j'ai compris qu'elle disait la vérité, je l'avais jamais vue comme ça. Elle m'a raconté que s'ils arrivaient à convaincre le Pélican que c'était elle qui avait gardé le pognon, il allait la tuer. À ce moment-là, ça m'a pas mis la puce à l'oreille, mais maintenant je me rends compte qu'il n'y a pas de raison que Marú flippe pour une chose pareille. Si Marú a peur, et si le Pélican y est pour quelque chose, c'est pas pour une simple embrouille de fric. Le Pélican, Marú peut lui faire gober n'importe quoi. La seule chose dont il doutera toujours, c'est qu'elle ne s'envoie pas en l'air avec un autre type de temps en temps. Mais si elle lui dit que la lune n'existe pas, le Pélican mourra en croyant que la lune n'existe pas. Marú sait être convaincante. Il y a un truc qui cloche, dans cette histoire. Ou alors il manque une pièce au puzzle. Si Marú a peur du Pélican, il y a forcément une autre raison.

Je mets les dix mille dollars dans le coffre et je le referme. Je connais par cœur le numéro à quatre chiffres qu'il faut composer avant d'appuyer sur la touche « Lock ». Elle m'a souvent répété le code quand elle prenait encore soin de le fermer. « Ouvre-moi le coffre, mon petit Rat, et mets ça dedans », qu'elle disait, par exemple. Puis elle s'est lassée. Pas que de moi, du coffre aussi. Marú, elle se lasse de tout. Ou presque. Elle a besoin d'émotions fortes, de nouveaux joujoux. Y'a toujours un moment où on finit par lui taper sur les nerfs. Un peu ou beaucoup, ça dépend. Ça me conforte dans l'idée que c'est quand même moi qu'elle a le plus aimé. C'est pour ça que je n'arrive pas à passer à autre chose. Ça n'a peut-être plus aucun sens, mais je suis encore là.

Je bouffe quelques chocolats aux amandes dans la cuisine, je bois un shot de whisky sans glace, je sors de chez Marú et je marche un peu le long des quais. J'essaie d'apercevoir au loin les petites lumières de Puerto Apache entre les grues, les arbres, les bâtiments en construction. Ce soir, j'arrive pas à les voir. J'observe les docks en brique qui longent le canal, les fenêtres opaques, les lumières des bars, les gosses qui font la manche.

Entre le quai n° 3 et le quai n° 4, une gamine s'amuse avec un lance-pierre. Elle tire sur l'élastique. Elle a une dizaine d'années. C'est une fillette à la peau brune, jolie, effrontée. Elle est entourée de trois ou quatre garçons un peu plus grands qu'elle. La fillette tire un boulon et elle brise une vitre au premier étage, un bureau apparemment, qui donne juste en face des petits bateaux sur le canal. Les gamins s'éloignent. Elle range son lance-pierre. Elle dit quelque chose à l'un des garçons. Il se marre. Et ils disparaissent dans une brume légère, un peu plus loin.

Je l'ai déjà dit. J'ai des intuitions.

J'ai pas besoin qu'on vienne me dire qui je suis, de quoi j'ai l'air, ni le rôle que je joue dans cette histoire.

Au bar de l'hôtel de Madame Jeanne, il n'y a personne. Une brute dort la tête enfouie entre ses bras, à une table du fond, comme d'habitude. La serveuse me regarde comme si j'étais là pour lui gâcher la soirée. C'est une maigrichonne neurasthénique avec les cheveux et les ongles bleu électrique. On raconte qu'à une époque, elle sortait avec Sosa le Moustachu, mais depuis que le Moustachu est avec Jeanne, on ne le voit plus avec personne d'autre. D'un autre côté, je comprends qu'il n'ose même plus regarder une gonzesse de loin, parce qu'il sait bien que si Jeanne lui fait une crise, elle est capable de le découper en rondelles. On doit tous faire des compromis. Sosa le Moustachu aussi. Celui qui dit le contraire ne connaît rien à la vie, ou alors c'est un menteur.

Je commande un gin tonic à la fille aux cheveux bleus.

Je m'allume une Winston.

Il y a des fois où on ne pense à rien. C'est des moments rares, parce qu'on a presque toujours la tête encombrée. En cet instant précis, je ne pense à rien. Je m'étire sur ma chaise, j'avale une gorgée ou deux, et je fume. Je plonge mon regard dans l'obscurité, derrière les fenêtres. Ça m'aide à ne penser à rien...

Peu après, Cúper arrive.

Il me fait redescendre sur Terre immédiatement :

« T'as vu Toti ? qu'il me demande.

– Ouais, hier.

– Aujourd'hui, je veux dire. »

Encore un qui est monté sur ressorts.

« Tranquille, mec, je lui dis. Non, aujourd'hui, je l'ai pas vu. Ça fait à peine deux heures que je suis rentré de Rosario. Je suis passé à l'inauguration du cinéma... Et c'est tout.

– On est dans la merde, me dit Cúper. Ils vont nous tomber dessus d'un instant à l'autre, ces bâtards, ceux de l'autre soir, et il paraît que cette fois ils seront encore plus nombreux. »

Je dis à Cúper qu'il faut qu'on se prépare et il me dit que oui, que la Première Junte est en train d'organiser les choses, qu'ils donnent des instructions aux gens pour répartir les tours de garde, renforcer les accès, surveiller la lagune. « On verra s'ils nous font un débarquement, me dit Cúper, comme en Normandie. » Celui qui insiste pour qu'on surveille la lagune, c'est Sosa le Moustachu. Personne ne l'arrête. Cúper ne veut même pas y penser : le Moustachu, chef de Puerto Apache...

« Ça serait la fin, je lui dis.

– Bon... reprend Cúper. Pour revenir à ce que je disais : ils sont à la recherche de Toti. Ils veulent encore lui casser la gueule.

– Pourquoi ?

– Qu'est-ce que j'en sais. Mais j'ai appris autre chose. »

Il prend son temps, Cúper, il marque des pauses. Ce soir, il a plein d'informations, de nouvelles, de rumeurs à raconter.

« Quoi ? je lui demande.

– Ton ami, l'Ombú », qu'il dit.

Un autre silence. Il fait durer le suspense. Il est fortiche, quand il veut. Il aime bien taquiner, Cúper. Il reprend :

« Il a planté le Pélican. Il s'est tiré. Il a monté un autre business.

– Arrête...

– C'est une des filles de la Mona qui m'a raconté ça, au cimetière. Elle sort avec l'associé de l'Ombú, tu sais, celui qui bouffe les tomates avec la salade.

– Tony, je lui dis.

– Tony, répète Cúper. Tony et l'Ombú se sont fait la malle. »

Maintenant, je me sens englué dans un silence qui me paralyse les neurones.

« Moi, je lis les journaux, je dis.

– C'est quoi, le rapport ?

– Je t'ai pas attendu pour savoir ce que c'est qu'une nécropole. »

Cúper se tait.

Alors, on entend arriver des motos. Je me lève et je vais à la fenêtre. Ils sont trois. Sosa le Moustachu avec sa Honda et deux autres types. Ils coupent les moteurs et ils restent discuter un moment, assis sur leurs bécanes, les jambes écartées, sans enlever leurs gants, des gants noirs coupés aux phalanges, les chaînes accrochées à leurs ceintures. Sosa le Moustachu porte un t-shirt et un gilet en cuir sans manches. On dirait qu'il sort tout droit d'un film de motards. Bottes cloutées, cheveux attachés, avec ses grosses moustaches en brosse à la Zapata. La lumière rouge de l'enseigne de l'établissement de Madame Jeanne tombe sur Sosa et ses amis, un peu comme la lumière qu'il y a dans ces chambres noires où les photographes développent leurs pellicules. Ils baignent tous les trois dans cette même couleur, comme dans un aquarium de sang dilué.

Je retourne à la table, je termine mon gin tonic, je prends mes cigarettes. Je ne veux rien savoir de plus. Combien de temps a passé depuis que les trois types envoyés par l'Ombú m'ont enfermé dans un hangar ? On dirait un siècle. Deux siècles. Même si ça ne fait que quelques jours. Depuis que j'ai pas vu mes gamins.

« T'as des nouvelles de mon vieux ? je demande à Cúper.

– Je suis passé ce matin. Son état est stable. »

Je crois que ça me suffit.

« C'est pour moi », je dis.

Je laisse un billet sur la table. Je donne une petite tape à Cúper et il me fait un signe de la tête. Je m'en vais. Mon pote reste dans le bar. Il ne sait pas quoi faire. Il boit sa grappa. Le type de la sécurité continue à pioncer au fond de la salle. Y'a pas un chat. Pas de boulot. C'est une journée bizarre. La fille aux cheveux bleus assise sur un tabouret derrière le bar ne sait pas quoi faire non plus.

Je veux rentrer chez moi. Une envie soudaine, comme une intuition. Ou comme un présage, un oiseau de mauvais augure. C'est ce que m'a appris Ángela, la cousine de ma vieille. Va savoir pourquoi, alors que je marche dans une rue déserte où je croise un chien ou deux qui passent en trottinant avec la langue pendue, je pense à Monti, au gros Monti, l'ex-député Walter Monti. Un type poisseux, à la salive épaisse et aux mains humides. Il se teint les cheveux, Monti. Trois poils sur le caillou, teints et gominés. Je me souviens des mains de Monti, de ces mains pleines de jetons, au casino, de ces mains qui tripotent la fille assise à sa droite à la table de baccarat, une poule de luxe. À sa gauche, il y a un type très mince, en costume gris et chemise blanche, qui porte une cravate vert d'eau. Il a les cheveux bien peignés, coiffés en arrière, les ongles manucurés, des ongles impeccables, avec du vernis, des ongles qui montrent que rien n'est laissé au hasard. Et il a un regard glacial. Un vrai snob. Va savoir pourquoi sur le chemin du retour, cette nuit-là, dans une rue déserte de Puerto Apache, je me rappelle les types qui m'ont tabassé, un par un. Je me souviens de la Chochotte, du Nabot, du Loup. Je sais que j'ai pas respecté le scénario qu'ils avaient prévu. Alors le Nabot a envoyé la Chochotte pour savoir ce qu'ils devaient faire. Ils étaient donc venus me chercher avec une mission bien précise : me casser la gueule. Mais ils ont eu un doute : jusqu'où est-ce qu'ils étaient supposés me casser la gueule ? Un peu, beaucoup, passionnément ? C'est comme ça que j'ai compris. Je sais qui me les a collés aux basques. Ce que je ne pige toujours pas, c'est qui a envoyé Tony et les deux autres à la sortie du casino, le soir où je suis allé rendre une petite visite à Monti le gros plein de soupe.

Je tourne au coin de la rue.

J'arrive enfin chez moi.

Maintenant, je me rappelle aussi qu'au moment où la Chochotte est partie se renseigner, j'ai entendu une moto. Et j'ai pensé que c'était la moto de Sosa le Moustachu... Donc si le type a pris la moto de Sosa, comment Sosa a fait pour la récupérer ?

> *Il faut que tu comprennes*
> *qu'aujourd'hui nous vivons*
> *dans des temps modernes.*

Gilda chante.
C'est l'album préféré de Jenifer.
Est-ce qu'elle est allée voir mon père ?
Je veux dire, Jenifer.

> *Tu peux dire à cette femme*
> *avec qui tu t'en vas*
> *qu'on f'ra ménage à trois.*

Devant chez moi, à côté de mon petit fauteuil en osier, la chaise que Toti a apportée hier midi pour qu'on discute ensemble n'a pas bougé. Il est déjà tard. Jenifer n'est pas là. Les gosses non plus. Je ressors. Il n'y a pas beaucoup de lumière. Je m'assieds sur la chaise de Toti. Je m'allume une clope. Dans mon fauteuil, la tête un peu inclinée et les bras qui pendent le long du corps, comme s'il était endormi, il y a un type. Mort.

Il a trois impacts de balle. Un sur le front et deux sur la poitrine. C'est l'Ombú.

La 403

PETROSIAN feuillette un magazine. De temps en temps, il s'arrête sur une page, une photo, et il l'observe longuement. Il ne peut pas décoller le nez de la photo ni penser à autre chose. Dans ces moments-là, il s'évade, il oublie tout. On est au bar de López. La nuit est déjà bien avancée et je crois qu'on ne va pas tarder à voir apparaître les premières lueurs de l'aube.

Petrosian est arménien. On ne sait pas quel âge il a. La grosse Susana dit qu'il doit avoir plus de quatre-vingt-dix ans. Sauf que personne ne la croit. Petrosian n'est plus tout jeune, mais faut pas exagérer non plus. En 1991, c'était un leader séparatiste qui luttait pour que le Soviet suprême leur accorde l'indépendance. Et l'Arménie a obtenu son indépendance. Il peut pas être aussi vieux que ça. Moi, j'y connais rien à l'Arménie, au Soviet suprême, à l'Union soviétique ni au rideau de fer. Quand j'étais gosse, je me demandais souvent à quoi il pouvait ressembler, ce rideau de fer. Je n'ai jamais réussi à l'imaginer. Aujourd'hui, le seul truc que je sais, c'est qu'il n'existe plus. Ciao. Le communisme, c'est fini*. Petrosian dit que l'Arménie, c'est en Asie, plus ou moins au nord de l'Iran et de la Turquie, pas loin de la Mer morte et de la Mer caspienne, mais que l'Arménie n'a pas d'accès direct à la mer, ni d'un côté ni de l'autre.

Je raconte tout ça parce qu'il faut bien parler de quelque chose.

« L'indépendance, c'est une chose, dit Petrosian. Et le communisme, c'en est une autre. Moi, j'ai jamais rien eu contre le communisme. »

Petrosian est arménien. Les gens ont du mal à le comprendre. Pas à cause de sa façon de parler, parce qu'il s'exprime bien, mais plutôt de sa manière de penser, de voir les choses. « Ils sont bizarres, les Asiatiques », dit toujours Garmendia. Parfois, j'ai l'impression qu'il y a un truc qui tourne pas rond chez lui, qu'il a un côté un peu raciste, ou un truc du genre. En plus de sa maladie. « Il a plus toute sa tête », a chuchoté Rosa, l'infirmière à la retraite de l'hôpital Fernández, un jour que le vieux n'a pas voulu qu'on lui fasse sa piqûre.

Petrosian vit seul.

Qu'est-ce que ça fait, de venir d'un pays qui n'a pas la mer ?

À une autre table, Anchorena et Filet Mignon jouent au *truco* contre deux autres types que je connais seulement de vue. Ces deux-là travaillaient dans un entrepôt frigorifique, je crois, puis pendant un temps, ils ont arraché des sacs à main en moto, avant de se faire tabasser dans un bidonville parce qu'ils avaient tiré celui de la gonzesse du chef. Après ça, ils ont changé de secteur, et maintenant ils font de la peinture, des enduits, ce genre de petits boulots. Ils doivent pas crouler sous le travail, c'est sûr. Je sais pas comment ils s'appellent en vrai. Anchorena et Filet Mignon, quand ils jouent ensemble, c'est difficile de les battre. Ils parient toujours les consommations : les perdants paient la note. Il paraît que parfois les deux vieux passent des semaines entières à bouffer et à picoler à l'œil. Moi, je pourrais pas jouer avec Filet Mignon. Il me rendrait fou avec tous les signes qu'il fait. Il est bourré de tics. On dirait un comique, un de ces mauvais comiques qui font des grimaces pour faire rigoler les gens. Mais ça pose pas de problème à Anchorena : c'est son partenaire, et ils gagnent. Les quatre joueurs reprennent un peu de vin. Ils ont recommandé une bouteille à López, ils remplissent leurs verres et boivent par petites gorgées, pour éviter que ça leur monte à la tête trop vite, mais surtout pour que ça leur dure plus longtemps.

Petrosian tourne les pages du magazine, machinalement. Soudain, il s'arrête sur une photo. Il la regarde, comme subjugué. C'est presque toujours des photos de femmes jeunes et d'hommes athlétiques, à moitié nus. Petrosian contemple les corps parfaits des mannequins. Les pubs qu'il préfère, c'est celles des collants pour femmes, des salles de sport, des produits de beauté, des savons, des parfums et des déodorants, ces images où la jeunesse est comme une promesse de bonheur. Tout ce baratin. Petrosian regarde attentivement ces photos, puis il revient à un portrait de Maradona, une photo de Reagan et une autre d'Anita Ekberg, dont il a marqué les pages. Maradona est bouffi de graisse, son regard vitreux est perdu dans le vide. Reagan manipule les pièces en bois d'un jeu pour enfant avec ces gestes confus qu'ont les malades d'Alzheimer. Anita Ekberg ne veut pas fêter ses soixante-dix ans : moulée comme une énorme baleine dans sa tunique, on remarque à sa bouche entrouverte qu'elle est saoule.

Heureusement, Cúper arrive. Il prend quelques bouffées de Ventoline, il commande une grappa et il jette un coup d'œil autour de lui. Le bar de López est blindé. Comme si, l'air de rien, tout le monde voulait rester groupé.

Hier, mon père est mort.

Dans un coin du bar, la grosse Susana dort, les bras croisés et la tête tombant sur sa poitrine. Elle s'est écroulée de fatigue. C'est elle qui a organisé l'enterrement. On a déjà un cimetière, à Puerto Apache. Il est encore petit. Petrosian lève le nez des pages sur Anita Ekberg. À côté de la photo récente, avec la tunique, il y a celle de la fontaine de *La Dolce vita*, prise il y a plus de quarante ans. Petrosian revient alors à la photo d'une nana à moitié à poil qui fait des haltères. Elle a la peau lisse et bien ferme, la fille de la photo. Petrosian baisse la tête, absorbé par la contemplation de ses courbes. Il les examine dans leurs moindres détails.

« Qu'est-ce qu'il a à bloquer comme ça, le vieux ? »

Les bras épais, la peau fripée, les doigts maigres de l'Arménien indépendantiste font à nouveau défiler les pages du magazine.

Quand le Tordu s'est pointé chez moi, je dormais encore. C'est lui qui est venu me prévenir. Il s'est assis au bord du lit et il m'a secoué doucement. J'ai ouvert un œil. Il a pas eu besoin de parler. J'ai deviné.

Il y a plusieurs choses que je voudrais mettre au clair.

Les histoires de Cúper, Toti et Marú, par exemple.

Parfois, sans qu'on s'en rende compte, la vie bifurque et nous fait prendre un chemin différent.

Quand ça se produit, il faut être prêt à embarquer. À monter dans le train de la vie, pour aller là où il nous emmène. On n'a pas toujours assez d'argent pour payer les péages. La vie aussi des fois, elle a un train au-dessus de nos moyens. C'est pas si différent de ce qui arrive avec les femmes. Mais c'est comme ça. Ainsi va la vie. Il y a des étapes. Des carrefours « existentiels », comme dirait Ángela, la cousine de ma vieille, cette nana un peu triste. Une fille bien, mais sans avenir. C'est comme si elle était restée sur le quai. Il y a des gens pour qui même la mort n'est pas un avenir. J'ai appris ça il y a pas longtemps. Par exemple, on pourrait croire qu'un clodo n'a pas d'avenir. Mais attention. Si ça se trouve, il en a plus que nous. Ne pas avoir d'avenir, c'est autre chose. Ça peut même arriver aux riches. C'est pas une question de fric. La seule chose que ça fait, le fric, c'est cacher le problème. Un mec plein aux as peut te faire croire qu'il a un avenir. Des fois, on dirait que l'avenir peut s'acheter, comme un lifting, un 4×4 ou un voyage sous les Tropiques.

« C'est où, les Tropiques ? » me demande Cúper.

Pourquoi il a fallu qu'on lui trouve ce souffle au cœur ? Pourquoi il est pas resté jouer au Valencia ? Peut-être qu'il aurait connu López le Pou, qu'il aurait fini champion d'Espagne, d'Europe ou du monde, n'importe quoi qui l'aurait maintenu éloigné et occupé à autre chose qu'à poser les questions les plus débiles de l'univers.

« Les Tropiques ? »

Il esquisse un sourire niais et il hoche deux fois la tête.
« Oui. »
Je lui réponds :
« Sous les cocotiers.
– Ah », me dit Cúper.
De Jenifer, j'en parlerai un peu plus tard.
Commençons par Cúper.
« Et la nécropole ? je lui dis. Parlons-en. »
Il ne répond pas. Il a capté mon petit jeu. Il a sûrement envie
de m'envoyer balader, mais il se dit que ce n'est pas le meilleur
moment, et il passe son tour.
« Casse Bonbons m'a appelé, il dit pour faire diversion. Il paraît
que le plan de la ferme est en bonne voie. J'ai besoin d'y réfléchir.
– C'est quoi cette histoire de ferme ?
– Casse Bonbons achète des produits de la ferme, vers
Mercedes, et il les vend dans les épiceries de la capitale. Il y a
une nouvelle exploitation qui produit un peu de tout, et s'il bosse
avec eux, il va avoir besoin d'une ou deux personnes de plus.
– Des livreurs ?
– C'est ça.
– Et tu veux bosser comme livreur ? »
López m'apporte un autre galopin. Ça se fait de moins de
moins, les galopins. Dans les nouveaux bars, ils ne savent même
pas ce que c'est. On te sert des demis, des pintes, des pichets,
des girafes. Un galopin, c'est un petit verre de bière. Un verre de
cette taille, à peu près. Je bois de la bière. Tranquillement. Des
galopins. La journée a été longue. La nuit va l'être aussi. Je sais
pas quand je vais pouvoir dormir. C'est pas mal, de grignoter des
olives et des cacahuètes, de boire des galopins et de fumer une
clope de temps en temps. J'ai plus de Winston. Cette nuit, je
fume des Jockey Club. López ne vend que ça.
« Non, pas comme livreur.
– On s'écoute un p'tit tango ? » me propose Garmendia.

Il va au fond du bar, il sort un trente-trois tours de Julio Sosa[1] et le met sur une platine d'une autre époque. J'aime bien le bruit du diamant sur le disque. Ça me rappelle mon enfance.

Je demande à Cúper si c'est vrai que Tony et l'Ombú ont fait un sale coup au Pélican. Si c'est vrai qu'ils l'ont poignardé dans le dos. Cúper me dit que c'était pas une trahison. En tout cas, ce n'est pas ce que raconte Betina, la copine de Tony. Elle a juste dit à Cúper qu'ils ne travaillaient plus pour lui. « Et pour qui ils travaillent, aujourd'hui ? » je demande à Cúper, et j'ai l'impression que j'ai pas besoin de préciser que le seul qui soit encore en état de travailler, c'est Tony. Il me répond que Betina ne lui a pas donné cette information, que tout ce qu'elle a ajouté, c'est que maintenant, ils bossent pour un politicien. « Ce qui se passe, aurait dit Tony à sa copine, c'est que maintenant, la politique est partout, donc si tu veux pas rester sur la touche, il faut entrer en politique. »

« Un génie, ce gars, je dis à Cúper.

– Ouais. Si ça se trouve c'est pour ça qu'il mange les tomates, dans la salade. Regarde l'Ombú... »

Ça pour le regarder, je l'ai regardé.

Je me passe de tout commentaire.

Je me pose deux questions. Qui a tué l'Ombú ? Et pourquoi on a déposé son corps devant chez moi ?

Ça ne peut être que le Pélican. Si tu le trahis, le Pélican peut te faire la peau. Mais il ne se salirait pas les mains. Mettons qu'il ait dit : « Bon, ce type-là, occupe-t'en. » Mais c'est plus lui qui fait le sale boulot. On a tué l'Ombú, et puis on l'a planté devant ma porte.

Je raconte tout ça parce qu'il faut bien parler de quelque chose.

Et puis, il y a l'histoire de Toti.

Ça fait deux jours que l'Ombú s'est fait buter.

Cette nuit-là, vers trois heures, en sortant d'un bar de la place Campaña del Desierto, alors qu'il marchait sur Godoy Cruz, Toti s'est fait renverser par un pick-up.

---

1. Chanteur de tango uruguayen, célèbre dans les années 1950 et 1960.

« Il avait ses peintures de guerre, me dit Cúper, il était en tenue de soirée, tu vois le tableau ? »

Oui.

Toti, je l'ai vu quelques fois dans son costume de parade, et j'ai pas honte de le dire : il est sexy à en mourir.

« Salut, mon beau, qu'il dit à la vitre des mecs qui passent et qui manquent de faire une attaque quand ils l'aperçoivent entre les arbres. Moi, c'est Toti, j'ai vingt-cinq ans. Et toi ? »

Avec ses talons aiguilles, ses longues jambes, les nibards qu'il s'est fait mettre l'année dernière quand il a pu réunir l'argent de l'opération, et ses cheveux blond platine… Une vraie bombe, je te jure.

Je me souviens de Toti marchant sur Godoy Cruz et je me dis que je me suis peut-être trompé : les jambes les plus longues de Puerto Apache, c'est pas celles de Guada…

« Il était pas à moitié à poil, me dit Cúper. Il était élégant comme une reine. Il voulait récupérer du fric que lui devait une amie, un autre… Euh… Une autre nana, non ? Le truc, c'est qu'il devait juste faire un saut rue Godoy Cruz et après il allait chez… Comment il s'appelle, déjà ?

– Jipé ?

– Oui.

– Sans blague !

– Si. Ce guignol l'avait invité à dîner.

– Jipé ?

– Oui.

– Alors, t'as pas à l'appeler "ce guignol". Qu'est-ce qui t'arrive ? T'as un problème avec ça ? T'es bourré de préjugés. Regarde la Hollande. Tout le monde peut se marier, en Hollande.

– C'est surtout cette grosse vache de Máxima[1] qui va se marier.

– Elle est pas grosse. Elle est argentine. Et y'a pas qu'elle qui peut se marier en Hollande. Les homosexuels aussi. »

---

1. Máxima Zorreguieta : actuelle reine des Pays-Bas, d'origine argentine. Elle a épousé le prince Alexander en 2002.

Cúper hausse les épaules et regarde la photo de l'autre Cúper en couverture du supplément sportif d'un magazine. Il a quitté le Valencia FC pour l'Italie. Maintenant, il est entraîneur à l'Inter de Milan. Pas mal. Il a la classe, Cúper. Costume gris, chemise noire, mocassins en cuir. Il est adossé à un mur, les mains dans les poches, une jambe repliée avec le pied contre le mur. Un peu comme posaient les mecs dans le temps. Cúper regarde la photo et il se passe la main dans les cheveux. Il n'est pas encore habitué, ou ça lui fait tout drôle d'avoir les cheveux courts.

Qu'est-ce qui lui passe par la tête, quand il lit que l'autre Cúper voyage de l'Espagne à l'Italie, du Valencia à l'Internazionale, d'un club à un autre ?

Est-ce qu'il se dit qu'il ne va nulle part, qu'il est coincé ici, que le foot pour lui c'est de l'histoire ancienne, qu'il ne connaîtra jamais autre chose que les petits clubs de quartier pour jouer entre potes ou les championnats de vétérans ?

« Il est minus, ce mec, dit Cúper. Toti est trop grand pour lui, comme un costume qui a une taille en trop, tu vois ?

– Ça tombe bien, je crois pas qu'il cherche à enfiler Toti comme un costume.

– Peut-être bien. En tout cas, il l'a emmené chez lui. Toti se fait dorloter. Y'a une employée qui lui prépare des soupes, une vieille qui s'occupe du guignol comme si c'était son fils. Et il y a une infirmière qui passe lui faire des piqûres à domicile. Il a mal partout. Il a le corps couvert de bleus. Il a rien de cassé, mais il peut pas bouger. Quand il essaie de faire un effort, il éclate de rire... Je veux dire, comme s'il était heureux.

– Jipé l'a accueilli chez lui ?

– Oui.

– Et il est aux petits soins ?

– Ben oui.

– Il doit être sur un petit nuage.

– Toti m'a prévenu hier après-midi, me dit Cúper. Il t'avait appelé en premier. Je crois qu'il t'a laissé un message. Je suis allé le voir. Il vit à Nuñez, l'autre. Il a une baraque... Comme dans les films. »

Je sors mon portable. J'écoute mes messages. Il y en a un de Toti. Et un autre de Marú. Les deux me demandent de les rappeler.

« T'as raison, je dis. C'est comme dans les films. »

López m'apporte un autre galopin.

Je bois lentement la première gorgée. Mes lèvres me font moins mal. Mon œil gauche s'ouvre plutôt bien. La seule chose qui me restera de tout ça, d'ici quelques jours, c'est une cicatrice à l'arcade.

Le temps passe.

Les choses changent.

Un jour, alors qu'il venait d'arriver à Puerto Apache, Sosa le Moustachu a voulu jouer les gros bras avec Toti. Toti lui a explosé la tête avec un coup de boule. Ça s'est passé vers chez Momo, celui qui vend des sandwichs au stade de Vélez. Je me rappelle bien.

Aujourd'hui, je me dis que le mieux pour Toti, c'est de changer d'air, de pas trop traîner par ici, de se faire oublier. Au moins pour un temps. Si ça se trouve, ça va marcher avec Jipé et il va rester vivre un moment à Nuñez. Qui sait.

Hier matin, je dormais quand le Tordu m'a réveillé. Il m'a secoué doucement et j'ai ouvert les yeux. On aurait dit que ça faisait longtemps qu'il était assis au bord du lit. Il n'a pas eu besoin de me le dire. J'ai tout de suite compris. Je me suis habillé, je me suis lavé le visage et on a pris un café au lait.

Le Tordu suçotait le filtre de sa cigarette.

La cuisine était à moitié vide.

J'ai pas vraiment regardé.

J'ai pas fouillé.

Je me suis dit que Jenifer était partie.

Je crois que ça me fait pas vraiment de peine que Jenifer m'ait quitté. Je m'y attendais pas. On s'attend jamais à ce genre de choses, mais je l'ai peut-être un peu cherché. Pour les enfants, c'est différent. Je voudrais leur expliquer.

J'ai vingt-neuf ans et une vie presque honnête.

J'ai deux gamins.

Je n'ai pas grand-chose de plus. On n'a rien de trop, par les temps qui courent.

Avec le Tordu, on est allés au Palace Apache.

Mon vieux est mort hier, à sept heures et quart du matin. On ne peut pas le jurer, mais il paraît qu'après les coups qu'il a reçus, il n'a pas repris connaissance. Il n'a plus jamais prononcé un mot. On ne sait même pas s'il entendait nos voix, s'il avait mal, s'il pensait. Rosa dit qu'elle n'est pas médecin, mais elle suppose qu'il est mort d'une hémorragie interne.

En allant voir mon père, je me souviens de Monti. Dans les toilettes, le regard imbibé d'alcool et la clope au bec, il m'a dit que pour la dernière transaction avec Barragán, son secrétaire avait donné l'argent de la dope à un grand gars accompagné d'une nana. Je n'avais pas pris le temps de réfléchir à ce détail jusque-là.

Mon vieux est allongé sur le dos, dans son lit. Son cou et ses épaules dépassent du drap et de l'édredon blanc, comme s'il dormait. Il a le teint pâle, les paupières baissées, les cheveux gris, les lèvres violettes. Mon vieux a du coton dans les narines. Je me demande si Rosa lui a mis ce coton pour éviter que l'hémorragie lui sorte par les trous de nez. Je ferais bien d'arrêter de penser à des conneries pareilles.

Ce corps sans vie, c'est bien le sien ?

Mon vieux, quand il a pris sa retraite, c'est devenu quelqu'un d'autre. Il ne levait plus la main ni la voix sur personne, il jouait au billard et il avait fini par gagner l'estime des gens. Difficile de croire que c'était le même homme qui me terrorisait par sa violence quand j'étais gosse.

Aujourd'hui, c'est étrange de voir le soleil se lever sur la lagune, dans la Réserve. De penser que parfois, les choses nous filent entre les doigts comme une poignée de sable. Que la mort met fin à toutes les questions, et qu'avec elle commencent tous les mystères. C'est étrange de penser, devant un mort, qu'on est encore vivant.

S'il y a quelqu'un que j'ai pu haïr de toutes mes forces, c'est bien cet homme. Mais sa mort ne change rien à cette haine d'un autre temps, à l'ignorance d'aujourd'hui, l'absurdité du monde et la douleur qui, malgré tout, me transperce l'âme.

Sur l'horizon irrégulier parsemé d'arbustes et de touffes d'herbes hautes, le jour se lève, au-dessus du fleuve qu'on n'aperçoit pas d'ici.

Anchorena et Filet Mignon doublent la mise et gagnent une nouvelle partie. Les ex-voleurs à la tire reconvertis dans le bâtiment les regardent, ahuris, comme s'ils n'en croyaient pas leurs yeux. Ils se font chambrer sans moufter, ils payent l'addition et s'en vont. Ils ne veulent pas refaire de partie et risquer de se prendre encore une raclée. Il ne fait pas encore jour, mais ça va pas tarder. On commence à distinguer les maisons les plus proches, dans cette lumière d'un gris rougeâtre qui précède le lever du soleil. Elles sont construites en matériaux de récup, en brique, en bois ou en tôle. Ça dépend. Les parcelles sont grandes et les rues sont larges. On vit pas entassés les uns sur les autres, à Puerto Apache. C'est pour ça qu'on veut nous virer et qu'il y a des étrangers qui veulent s'installer ici par tous les moyens.

J'ai bu trop de bière. Je sors, je fais le tour du bar. Derrière, après le grillage, il y a un petit bosquet. Je pisse entre deux arbres aux branches très fines qui ont l'air d'être en plastique. Je réécoute le message que Marú m'a laissé hier. En fait, il y en a deux. Quand le temps autorisé par le répondeur s'est écoulé, elle a rappelé aussitôt. Et maintenant, j'y vois beaucoup plus clair.

Le message de Marú est un message d'adieu.

Sa voix dit :

« Mon petit Rat... Je m'en vais. »

C'est comme ça qu'elle commence.

Je retourne au bar, je m'assieds à la table de Cúper, qui fait tourner machinalement son verre de grappa entre ses doigts, et j'aperçois López qui arrive en portant deux bidons. Un dans chaque main. Il a l'air costaud. Il les dépose près de la porte.

Ça fait environ trois heures que Guada est partie. Elle est allée coucher sa mère, qui discutait avec Garmendia et qui n'avait pas envie de rentrer.

« On y va, maman. Il est tard, elle lui a dit. Et demain, tu travailles. »

Alors Isa s'est levée, à contrecœur, elle a salué tout le monde et elle a suivi sa fille. Elles habitent à deux pas d'ici.

Guada a mis ses mains dans les poches de sa veste et a serré les lèvres. Malgré tout, c'était un sourire. Une façon de dire au revoir.

Avant ça, elle m'avait dit :

« C'était un sacré type, ton vieux. »

Guada est arrivée vers une heure du matin, quand López vendait les dernières *empanadas*. Il n'y avait plus rien à manger et le feu de la petite cuisinière était éteint. Mais il restait de quoi boire un coup : du vin, du gin, de la grappa, du Coca. C'est tout. Sa mère m'avait dit que sa fille s'était allongée un moment et qu'elle s'était endormie. « Elle est fatiguée, la pauvre. Et triste, tu sais ? » m'a dit Isa, comme si elle voulait m'expliquer quelque chose. J'en sais rien, mais je lui ai dit : « Oui, je sais. » Isa est allée s'asseoir à la table de Garmendia, du Tordu, de Rosa et les autres. Quelques minutes plus tard, elle était déjà en train de leur parler de Tránsito Cocomarola. « Je l'ai rencontré, racontait Isa, je pourrai jamais l'oublier. »

Ce matin, j'ai mis une chemise blanche, la seule cravate que j'ai, et une veste bleue. Je me suis planté devant la glace pour faire le nœud. Je voulais être élégant. « Tu es un bourreau des cœurs, disait ma vieille. Comme ton père. »

On s'est rendu au cimetière.

Le curé Francisco, qu'on accuse d'être un progressiste, un tiers-mondiste, un laquais du communisme et d'autres conneries du genre, lit une prière. Comme dans les films, je me dis. Mon père aimait bien regarder des films. Ma mère aussi, maintenant. Le petit cimetière de Puerto Apache est au bord de la lagune. On a même droit à un vol de canards en formation. Et le vent nous décoiffe un peu, cet après-midi. Non pas qu'on soit tous très bien peignés. Je regarde mes godasses. Des vieux bottillons un peu sales, mais encore en bon état. En m'habillant, je me suis demandé si je devais mettre les mocassins tout neufs que j'ai chourés au Pélican. Non. J'ai préféré les bottillons. Ils sont plus confortables. On peut marcher avec sur la terre humide, un peu boueuse. Là où on vit. Là où on meurt. J'écoute la prière du curé pendant que le vent balaie ses cheveux blonds, je regarde les hommes qui sont là, les femmes qui pleurent, tous ces gens qui m'ont dit ou me diront ces mots qu'on n'oublie pas. Mais je ne ressens rien.

« Courage, mec.

– Sois fort, le Rat.

– Je suis avec toi, mon pote.

– Ça me fait beaucoup de peine, mon p'tit. »

Ce genre de mots gentils.

Des condoléances.

Des paroles de réconfort.

Les mots des amis.

Et moi, ça me fait rien. Je ne ressens rien. Aucune émotion. La douleur ne m'atteint pas. Debout, à côté du curé, face à la lagune, je bouge lentement la tête et j'observe les gens. On dirait qu'ils l'aimaient, mon vieux. Je me dis que quand on enterre nos premiers morts, c'est un peu comme si on se retrouvait sans abri, après le passage d'un ouragan. Rien n'est éternel. Et moi, ici, avec ma cravate qui me serre le cou, sans savoir quoi faire de mes mains, avec les semelles en caoutchouc de mes bottillons qui s'enfoncent imperceptiblement dans la terre humide, je regarde la croix en pierre blanche qu'on va déposer sur la tombe de mon père, et j'ai l'impression de ne pas savoir qui on est ni ce qu'on fait là. C'est comme regarder un film et se voir dedans. Tout ce qui devait arriver est déjà arrivé. Et maintenant, tu es dans le film. Et tu ne ressens rien. C'est comme si tu étais le protagoniste de l'histoire d'un autre. La seule chose que tu sais, c'est que malgré tout, tu n'oublieras jamais cette journée. Et tout ce que tu espères, c'est qu'il y ait de meilleurs moments à vivre.

Le bas de mon jean est aussi recouvert de boue.

Assise à côté de moi, Guada avale une gorgée de Coca, allume une cigarette, pose sa tête sur mon épaule, regarde le bout de ses chaussures et me dit :

« Il était fou, ton vieux... »

Cúper se lève et va faire un tour. Il s'est coupé les cheveux. Maintenant, il les a courts, comme l'autre Cúper. Il regarde jouer les deux gars qui font une partie de *truco* contre Anchorena et Filet Mignon. Les vieux sont en train de perdre. Ou ils laissent les autres mener le jeu. Il faut faire attention, avec ces deux-là. Les deux loulous roulent des mécaniques. Ils foncent tout droit vers l'embuscade que leur ont tendue les vieux apaches.

« Avec ses airs de dur à cuire, il était pas commode, au début, reprend Guada. Jamais un sourire. Mais quand il se regardait dans le miroir, il se tapotait le visage et il me faisait un clin d'œil. J'avais jamais connu un homme pareil. »

Je sais pas si Guada parle pour elle ou pour moi.

Ça n'a pas d'importance.

« C'était un numéro. Il faisait comme s'il s'en foutait. Mais je peux t'assurer que ton vieux, il en connaissait un rayon sur les femmes. »

Guada fume. Il y a des marques de rouge à lèvres sur le filtre de sa cigarette. J'observe ses longs doigts, ses ongles soignés, ses fringues qui ont dû lui coûter du pognon, même si son style est plutôt simple et décontracté. Elle aussi, c'est une fille bizarre, étonnante, imprévisible. Une petite nénette de Corrientes, métisse, assez commune, aucun pedigree, qui a pas l'air d'avoir inventé l'eau chaude. Et puis tu te rends compte que t'étais à côté de la plaque parce qu'en fait, c'est une fille qui a du plomb dans le crâne, de l'expérience, du style, du chien. Ou plutôt, féline comme une chatte. Mais en ce moment, je découvre qu'elle a le cœur égratigné. Et ça, je l'ai déjà dit : attention aux chats blessés.

Je me souviens des photos sur Internet.

Sur la dernière, Guada a descendu les ficelles de son string. Elle appuie ses mains et son genou gauche sur un canapé blanc. Son pied droit est posé par terre, jambe fléchie, et ses cheveux lui tombent sur les épaules. Elle est de dos, pour ainsi dire, et on ne voit pas son visage. Mais c'est bien elle. On dirait qu'il y a un mur en brique au fond, et du parquet au sol. Accroché au mur, on distingue le bord inférieur d'un cadre. Mais on ne peut pas voir le tableau. Manifestement, c'est son derrière qui est mis en avant. Je dois reconnaître que j'ai senti un truc bouger entre mes jambes pendant que je regardais ces photos, avec Cúper et Morales. On n'en a jamais reparlé. Comme si on regrettait de les avoir vues, par gêne ou par respect. Mais alors, qui imposait le respect ? Guada ? Mon vieux ? Les deux ? Va savoir.

« Tu sais quoi ? me dit Guada. Je suis plus sur Internet. »

C'est inévitable.

Je repense aux photos.

« Ah bon... Pourquoi ? je lui demande.

– C'est pas fait pour moi.

– J'imagine.

– Qu'est-ce que t'imagines ? » elle me demande en riant.

Elle est cool, cette fille.

« Je sais pas, je lui dis. Rien. Enfin... »

Elle pose à nouveau sa tête sur mon épaule et elle me dit :

« C'était un champion, ton vieux. »

Puis elle s'en va. Elle va chercher sa mère à la table de Garmendia, du Tordu, de Rosa et des autres, et elle l'emmène avec elle. Isa ne veut pas partir. « Je pourrais rester toute la nuit à parler de ça », qu'elle dit.

Aux premières lueurs du jour, le bar de López se vide. Maintenant qu'il est presque huit heures, il ne reste quasiment plus personne. Morales bâille. Filet Mignon s'est endormi sur la table où, cette nuit encore, il a remporté la victoire. La grosse Susana roupille aussi, dans un coin, les bras croisés, comme si elle ne voulait plus jamais se réveiller. Ça fait un moment que les gars du ciné sont partis. Madame Jeanne et Sosa le Moustachu n'ont pas fait acte de présence.

Le message de Marú me revient en mémoire.

C'est pour ça que je prends mon portefeuille et que je sors sa photo qui est glissée derrière celle de Ramiro. C'est la photo que j'ai trouvée chez elle, celle où elle porte une robe blanche à fines bretelles, et où le vent qui souffle fait voler ses cheveux.

Je regarde la bouche de Marú.

Alors López se dirige vers les bidons qu'il vient de rapporter. Il les prend, un dans chaque main, il sort, il traverse le terrain vague qu'il y a devant le bar et il arrive jusqu'à la Peugeot 403 blanche, à la carrosserie tout écaillée et la roue crevée. Il pose un bidon par terre et avec l'autre, il commence à asperger la bagnole. Il est efficace, López. Puis il fait la même chose avec le deuxième bidon. D'ici, je sens l'odeur de l'essence. Je le vois, mais je n'en crois pas mes yeux.

« Il a pété les plombs, López », me dit Cúper.

Je sais pas quoi dire.

Alors j'allume ma dernière clope et j'expire la fumée qui flotte dans l'air humide du matin.

Quand il finit d'arroser la 403, López se retourne et me demande si j'ai du feu.

Je me lève, je vais jusqu'à lui et je lui tends une boîte d'allumettes.

« Regarde », qu'il me dit.

Le feu démarre avec des petites flammes qui se propagent rapidement en dévorant l'essence. Puis les flammes grandissent.

Les trois roues qui contiennent encore un peu d'air explosent.

Le tapis crépite.

D'abord les vitres se fendent, puis elles se brisent.

En cinq minutes, la 403 est entourée d'une boule de feu.

On ne peut pas détourner les yeux d'un spectacle pareil. C'est comme un aimant, un langage secret, un miroir qui reflète le néant. López recule.

« Il fallait bien faire quelque chose », qu'il me dit.

Je jette au feu la photo de Marú. Les quatre coins se recourbent. Le papier brûle. Il se désintègre. Les résidus volent parmi les flammes comme des petites boules de suie noire. C'est fini. Moi aussi, je recule.

« Oui, je dis à López. Ça marque le coup. On s'en souviendra. »

Le Pélican

Je parlerai de Jenifer un peu plus tard.

Quand j'aurai le temps.

Peut-être que je lui écrirai quelque chose.

Aujourd'hui, c'est dimanche. Il pleut des cordes. Je parviens difficilement à désembourber la Renault du Tordu, et je sors de Puerto Apache. Sans précipitation, mais avec cette obstination qui me prend quand je ne comprends pas ce que je cherche, je remonte l'avenue Libertador, j'entre dans la ville par la route côtière, et je laisse la circulation me porter dans ce défilé de chevaux fatigués. Je sais déjà deux choses sur la bagnole du Tordu : le réservoir est presque vide et l'essuie-glace de droite ne fonctionne plus. J'en découvre une troisième au feu rouge : les freins sont foutus.

Je m'arrête à la première station-service que je croise. Avec vingt pesos, j'ai assez pour une dizaine de litres d'essence, un café au lait avec un croissant au comptoir et deux paquets de Marlboro.

« Mon petit Rat... je m'en vais », dit sa voix.

Le message d'adieu de Marú est un embrouillamini de mots inutiles saupoudrés de quelques silences ou hésitations. Les silences et les hésitations, je m'en fous. Si on enlève ce qui ne sert à rien, le message dit deux ou trois choses importantes qui retiennent mon attention.

Avant de raccrocher, la voix de Marú dit : « Rappelle-moi. » Pas besoin d'être un génie pour comprendre qu'il n'y a aucune raison de la rappeler. Mais juste avant ça, elle dit : « Tu ne me croiras sûrement pas. Pardonne-moi. Tu sais que je t'aime. »

Touchant, non ?

Bon. Encore avant, plus ou moins à la moitié du message, elle dit aussi : « Maintenant que ça n'a plus d'importance, je vais te dire une chose. Tu ne t'es pas trompé : c'est le Pélican qui a demandé à l'Ombú de t'envoyer deux ou trois gars. Il était fou de jalousie. Mais maintenant, ça n'a plus aucune importance, mon petit Rat. Oublie cette histoire. Je sais ce que je dis. »

Je trempe le croissant dans mon café au lait.

J'ai toujours fait ça.

Depuis tout petit.

Je réécoute le message. Je veux l'entendre encore une fois. Promis : juste une fois. Après, je l'efface. Plus rien à foutre.

« Mon petit Rat... Je m'en vais. »

Ce qu'il y a de plus important, elle ne le dit pas vraiment. Je veux dire, même en écoutant mille fois le message, ça n'y changerait rien : elle ne l'explique nulle part. Mais malgré tout, si on lit entre les lignes, en rassemblant les pièces du puzzle, ça ne fait plus aucun doute. Pour savoir ce qui s'est passé avec la thune qui manquait, avec le fric de Monti que le Pélican n'a jamais récupéré, c'est à elle qu'il fallait poser la question.

À elle.

Ça, c'était pas dans le message. Mais on l'entendait quand même. On pouvait le déduire. Il y a des choses qui sont parfaitement claires sans qu'on ait besoin de les dire.

« Pardonne-moi. »

Quand je retourne à la bagnole et que je remets le moteur en marche, je dirais pas que je me sens comme un homme nouveau, mais peut-être que, d'une certaine manière, je ressemble plus à ce que je suis : un jeune premier sans public avec des prétentions de justicier ou de gros dur. Je reprends l'avenue Libertador, il pleut de plus en plus fort. Le ciel s'obscurcit et des grêlons commencent à tomber. Je les entends percuter le toit de la Renault. Ça va cabosser la caisse, je me dis. En fait, elle est déjà toute cabossée. Alors je continue à rouler. On n'y voit que dalle. Le convoi se perd dans la tempête. J'arrive à la place Dorrego et je tourne à gauche. Une lumière aveuglante électrise les nuages, un coup de tonnerre retentit et la foudre s'abat sur l'hippodrome comme la colère de Dieu.

Dix minutes plus tard, je gare la bagnole à quarante mètres du bar-restaurant du Pélican, à Las Cañitas. C'est un bâtiment qui fait l'angle. L'entrée du resto, fermé le dimanche midi, est juste au coin. La porte de la vieille baraque retapée où le Pélican a fait son nid est toujours au même endroit, un peu après la dernière fenêtre du restaurant. Je ferme ma veste en cuir, je descends de la voiture, je traverse la rue sous les grêlons. Le trottoir est plein de flaques d'eau et de pavés branlants. Je m'arrête en face de la porte, j'examine les boutons de l'interphone, je jette un œil autour de moi : y'a pas un chat. Je sors mon flingue. Je sais qu'il y a un bouton qui active une sonnette dans la cuisine de la maison, un autre dans le restaurant, un autre dans le couloir du premier étage, à deux pas de la piaule du Pélican. Je pose ma main sur le vieux pommeau en bronze, un de ces bibelots que Marú a cherché pendant plus de deux semaines, il y a trois ans, pour offrir au patron un truc authentique. La scène a quelque chose de ridicule, on dirait qu'elle sort tout droit de ces films policiers où un mec paumé et pas très dégourdi découvre que les serrures ne sont pas toutes fermées à double tour. Donc je tourne le pommeau au maximum, je pousse la porte le plus délicatement possible, et elle s'ouvre...

Mon cœur bat à cent à l'heure.

J'arrive à peine à respirer.

Je me souviens de mon fils. Un jour, je lui ai offert un ballon. On a commencé à jouer. Il était maladroit, comme tous les gamins qui shootent dans une balle pour la première fois. Je lui disais : « Tout droit mon grand », et Ramiro se marrait. Il était môme. C'est toujours un môme. Mon heure n'a pas encore sonné.

Je me décale sur le côté de la porte, presque dos au mur. Je vois les gouttes d'eau faire des ronds dans les petites flaques du trottoir.

Je brandis mon 38.

Je pousse la porte de la main gauche.

Elle s'ouvre.

Je jette un regard furtif de l'œil droit, celui que les coups ont épargné.

Je ne vois rien.

Ou plutôt : je ne vois personne.

Il y a une fontaine dans la cour, contre le mur mitoyen orienté sud-est. Je sais que ça semble bizarre, mais je me demande à quoi ça rime de mettre une tête de chérubin aux airs de tapette, avec des bigoudis en marbre, qui crache un jet d'eau sur un plateau qui déborde en permanence, pour que l'eau coule dans la fontaine, qu'elle ne stagne pas, avec des plantes et des fleurs jaunes qui flottent à la surface. Je ne trouve aucune réponse à cette question. Peut-être parce que je n'y consacre pas assez de temps.

J'entre donc à pas feutrés dans la cour.

Je vois la pergola, la table en granit, les bancs en bois. Je sais pas combien de grillades j'ai bouffées avec le Pélican, l'Ombú et Tony, assis là, à cette table. L'Ombú ne mangeait pas les tomates, dans la salade.

C'était une autre époque.

La pluie tombe dans la cour avec le bruit fracassant d'un orage qui n'en finit pas. À gauche de la pergola, deux portes qui donnent sur la cour sont ouvertes.

Je sais que l'une donne sur un salon, et l'autre sur une chambre de service.

Je suis déjà au milieu de la cour.

Je pointe mon flingue bras tendu devant moi, même si la cible change au fur et à mesure que je me déplace. Je regarde la cour, les portes, les fenêtres, les plates-bandes de gazon, les petits chemins de gravier, le sol en mosaïque, dans les moindres recoins. Je crois que sans m'en rendre compte, je fais un tour complet sur moi-même, au milieu de la cour, en examinant chaque détail. Comme si je me retrouvais au centre d'un cercle et que j'étais un compas. C'est l'image qui me vient, alors que je suis submergé par la pluie, la peur et l'incompréhension. L'image de quelque chose planté dans la terre, comme lorsqu'on piquait une des pointes du compas sur la table à dessiner pour tracer un cercle parfait. C'est ce que je suis. Autant dire, presque rien.

Je fais donc un pas sur la gauche, mais sans perdre des yeux les portes qui sont ouvertes de ce côté-ci de la pergola. Puis un autre pas. Il pleut des cordes et il n'y a pas un brin de vent. Rien ne bouge. Sauf l'eau. La pluie. Le filet d'eau que recrache le chérubin en haut de la fontaine. L'eau qui me tombe sur le visage comme un torrent. Le rideau de pluie devant mes yeux. Je vois les choses à travers ce rideau et, par moments, on dirait qu'elles bougent. Mais ce n'est que l'eau. La pluie. Le bruit de la pluie qui résonne dans cette cour comme si on était dans la Gorge du Diable.

Ça y est.

Maintenant, je distingue mieux la porte. La porte en bois et en verre qui est ouverte, celle qui donne d'abord sur un salon, puis sur un couloir qui traverse toute la maison. Avant je n'apercevais que la pénombre dans l'entrebâillement. Maintenant, en observant mieux le battant de la porte, je me rends compte que les vitres sont brisées et que le bois est criblé de balles. Sous le vernis foncé apparaît le cœur blanchâtre du bois, des éclats et des échardes pendent encore, et d'autres sont éparpillés sur les dalles en céramique détrempées.

J'avance d'un mètre, puis encore d'un mètre, et j'aperçois les jambes d'un homme qui dépassent de l'autre côté de la fontaine, les genoux appuyés sur le rebord en pierre, les pieds nus qui retombent sans toucher le sol. L'eau de la fontaine, où flottent les plantes et les fleurs jaunes, n'a plus aucun de ces reflets verts qu'elle a d'habitude : c'est une surface rouge sang que même la pluie n'arrive pas à diluer.

Le haut du corps est plongé dans la fontaine jusqu'à la taille. Une main dépasse de l'eau sanguinolente. Elle ne flotte pas. Elle se tient dressée à quelques centimètres au-dessus de la surface, comme si le coude était resté appuyé au fond de la fontaine. La main est ouverte. Elle n'est pas crispée. C'est une main gauche. Celle d'un mort.

Je regarde la rosace en pierre avec la tête de chérubin sculptée, je remarque qu'elle aussi est criblée de balles. Je vois que le visage de l'ange a reçu quelques impacts de ce côté-ci et qu'il y a des trous dans le marbre, des cratères, des petits orifices, juste assez gros pour voir comment c'est à l'intérieur du marbre : une matière blanchâtre, dure et froide.

L'ange, continue à cracher de l'eau comme s'il ne s'était rien passé, comme si ni son visage, ni ses canalisations en cuivre n'étaient détériorés.

Y'a rien à deviner.

Ça ne peut être qu'une mitrailleuse. Ou deux. C'est presque sûr. Ils ont fait sauter la porte, et quand elle s'est ouverte ou qu'elle est sortie de ses gonds, ils ont balayé l'ouverture, la cour et le mur mitoyen avec des rafales de feux croisés.

L'homme qui est mort, à moitié plongé dans la fontaine, la tête enfouie sous l'eau et dans son propre sang, cet homme transpercé de balles, probablement décédé avant même d'être tombé dans la fontaine, cet homme a été mon patron et le mec de ma nana.

J'ai pas besoin de voir son visage pour savoir que c'est le Pélican.

À cet instant, je me dis que si l'Ombú et Tony l'ont trahi, le plus probable, c'est que le Pélican ait voulu se débarrasser de l'Ombú. Du coup, si c'est bien ce qui s'est passé, je me dis que le Pélican s'est fait liquider. Parce qu'il y a des choses qui ne se font pas. Même quand on s'appelle le Pélican.

Je me demande bien qui est derrière tout ça.

Quoique j'aie mon idée sur la question.

Je regarde à nouveau les deux portes ouvertes, l'ange vérolé, le corps à moitié immergé dans la fontaine, et je reviens sur ce que j'ai dit. Les choses se sont passées comme ça : le Pélican n'est pas sorti dans la cour depuis le salon. Quand il a entendu du bruit, il est apparu par la porte de service. J'imagine qu'il est arrivé comme un ouragan, en pyjama, mais l'arme au poing, qu'il s'est précipité vers la fontaine et qu'il a dû tirer au hasard deux, trois, quatre fois. Quand il est arrivé en face de l'autre porte, ils ont stoppé sa course en lui tirant dessus : deux rafales de mitrailleuses l'ont pris pour cible et l'ont transformé en passoire. Alors le Pélican, blessé à mort, ou déjà mort, a fait deux ou trois pas, en titubant, et a dû basculer en arrière.

Maintenant, l'arme du Pélican doit reposer au fond de la fontaine.

C'est comme ça que ça s'est passé. Des fois je me demande bien à quoi ça sert d'avoir appris à lire, dans un monde pareil.

Avant de quitter les lieux, je lui retire l'anneau qu'il porte à la main gauche.

Comme je l'ai déjà dit, dans la rue, y'a pas un chat.

Je suis sûr que personne n'aura rien vu, rien entendu, que personne ne trouvera rien.

Personne n'aura rien à dire.

Ici, il ne s'est rien passé.

À l'angle de Santa Fe et Pueyrredon, j'arrive à garer la bagnole à côté d'une bouche d'égout. Le torrent qui descend depuis la rue Ecuador continue sa course à travers les grilles d'évacuation. L'eau sale fait de gros bouillons, où flottent des canettes de bière, des sacs en plastique et des ordures en tout genre. Mais l'eau continue à couler, à bouillonner, et elle s'engouffre dans la gorge profonde des égouts.

J'observe l'anneau que j'ai retiré de la main qui dépassait de la fontaine.

Marú avait le même.

Je jette l'anneau dans la bouche d'égout.

Ciao, le Pélican.

Le pont qui permet de rejoindre l'avenue Costanera entre le bassin nord et le quai n° 4 est coupé par la police. Ils font des contrôles. Certains passent et d'autres pas. J'allume une Marlboro. Le tacot du Tordu a du mal à démarrer. Cette caisse est un boulet. Il faut que je trouve une idée. Il y a une petite flaque d'eau sur le tapis en plastique tout défoncé. Les pédales glissent. Je suis trempé. Dehors, le déluge continue. Les types de la police fédérale ont des capes de pluie, des armes, des voitures de patrouille... Au dos des capes, il y a écrit en lettres jaunes : PFA. Je fume. Sur ma gauche, je jette un œil au bâtiment des télécoms. Je ne trouve aucune bonne idée. Mais petit à petit, la file avance. Certains poursuivent leur chemin et d'autres reviennent. C'est un bordel de bagnoles mises en travers, et de flics sur les nerfs. Je me regarde dans le rétroviseur. Les marques des coups ne se voient presque plus. Je repense au Nabot, ce fils de pute avec sa chemise trop petite et son jean trop grand. Ce minable rêve d'être quelqu'un d'autre, d'oublier qu'il est un nain, un gros tas de merde, le lèche-cul d'autres lèche-culs, et sa seule ambition dans la vie, c'est de grappiller un peu de pouvoir pour se venger sur les pauvres mecs qui croiseront sa route. Comme si c'était ça, rêver à une vie meilleure. J'ai compris dans quel monde il vivait en regardant ses pompes crasseuses, et j'ai senti l'odeur de merde de ce monde quand ce crétin les a essuyées sur ma bouche...

Le flic sur lequel je tombe a l'air fatigué. L'eau qui glisse de sa casquette lui coule sur le visage. Il ne s'est pas rasé, aujourd'hui. Il a mauvaise haleine. Et s'il pouvait, il m'écraserait comme une puce avec son doigt. Moi et tous les imbéciles qui ont décidé de traverser ce putain de pont un dimanche à cette heure-ci. Je viens de balancer ma clope. Vaut mieux pas fumer quand tu dois parler avec un de ces types. C'est mal vu. Il me demande où je vais. Je lui réponds au Yacht Club. Je le prononce « yôte cleub ». Le type me regarde. Ça me vient pas à l'esprit de dire que je suis membre. Je lui dis que c'est là que je bosse. Il me demande mon badge. Je lui dis que je suis agent d'entretien et qu'on ne donne pas de badge aux agents d'entretien. Il me demande si je nettoie les toilettes. Je lui dis que oui : les toilettes, la cuisine, les salons. Il me demande si je nettoie la cuvette des chiottes, si je dois récurer la merde des riches. Je lui dis que oui. Alors il me demande ma carte d'identité. Je lui tends. Il me la rend sans même la regarder. « Vas-y », qu'il me dit. Et j'y vais. J'oublie immédiatement ce connard parce qu'il y a encore un contrôle de l'autre côté du pont, pour ceux qui arrivent dans l'autre sens. Je ne m'arrête pas. Mais je voudrais bien savoir ce que ces flics font ici, sous la pluie, un dimanche pourri comme aujourd'hui.

Je me dis qu'ils nous protègent. Qu'ils ne laisseront pas les étrangers qui veulent entrer dans Puerto Apache faire n'importe quoi. Et tout de suite après, je me dis que je suis vraiment un imbécile. Comment j'ai pu penser même un seul instant que la police fédérale était là pour protéger nos petits culs ? Si ces types sont là pour Puerto Apache, ça ne peut être que pour deux raisons : soit parce que les squatteurs sont déjà entrés, soit parce que c'est la sécurité de Puerto Madero qu'ils assurent, quel que soit le problème. Eux aussi, ils doivent récurer les chiottes des riches.

Les gars qui montent la garde à l'entrée de Puerto Apache ont des barres en fer, des flingues, des cagoules, des imperméables. Ils ont allumé des feux. Je regarde les pneus qui brûlent et je leur demande ce qui se passe. Ils me répondent que c'est à cause du froid. Je rentre en pataugeant maladroitement dans les rues en terre boueuses et, après avoir laissé la caisse, je me tourne à nouveau vers la colonne de fumée qui s'élève au-dessus du feu de l'entrée. Il y en a beaucoup, dans ce pays[1].

1. Allusion aux nombreuses manifestations de protestation contre le chômage, en réaction à la crise qui secoue l'Argentine de 1998 à 2002.

Jenifer n'est pas rentrée. Toti non plus. Aucune nouvelle de Guada. La Première Junte s'est réunie au Palace Apache avec Sosa le Moustachu. Il a proposé à Garmendia et au Tordu d'organiser la défense de Puerto Apache. Je demande à la grosse Susana qu'elle se renseigne pour savoir où sont partis Jenifer et les enfants. Y'a bien quelqu'un qui doit être au courant. La Mona Lisa, par exemple. Mais à moi, elle me dira rien. Je cherche la boîte contenant mes économies dans la penderie. Il ne reste pas un peso. Elle est partie en emportant tout ce qu'elle voulait. Je sais pas pourquoi elle a laissé les disques de Gilda. C'est un mystère. J'ai une autre cachette dans la petite pièce de derrière, une caisse à outils planquée à l'intérieur d'une armoire. J'enlève mes fringues trempées. Je prends une douche. Il y a encore de l'eau chaude. Elle est un peu trouble. Comme d'habitude. Les ingénieurs n'arrivent pas à mieux la nettoyer. Mais c'est déjà un miracle qu'il y ait de l'eau. J'ai une sensation de chaleur en enfilant des vêtements secs. Il reste encore un peu de café. Je m'assieds dans la cuisine en attendant que l'eau frémisse. Je fume une Marlboro. Sur la table, mon 38 est posé à côté d'une boîte de munitions. Je compte l'argent qui me reste. Quatre cent onze pesos. C'est pas beaucoup. Mais il n'y a pas non plus de raison que je les dépense d'ici demain. Donc je ne m'inquiète pas trop. Je rappelle Cúper. Personne ne répond. Je sais parfaitement ce que je veux faire. Je pense à l'Ombú assis dans mon fauteuil en osier, mort. Je pense à ma vieille, à Rosario. Elle est malade, elle ne sort presque pas, elle regarde des films à la télé. Je pense à Ángela, la cousine qui s'en occupe et qui enseigne la lecture. Je pense à ma fille, légèrement blonde, comme sa mère. Elle a trois ans. Je continue à penser à des choses comme ça. L'après-midi passe. Je fume une clope de temps en temps. Puis mon portable sonne. C'est Cúper. Il vient de rentrer chez lui. La Mona Lisa est restée au cimetière. Elle avait une réunion avec son neveu, à propos du business de Belgrano. Je demande à Cúper si c'est lui qui a la bagnole. Il me répond oui. Je lui demande s'il a des trucs de prévus. Il me dit non, rien. Je lui dis que j'ai deux ou trois choses à faire et que je voudrais bien qu'il m'accompagne. Une demi-heure plus tard, il vient me chercher. On se casse. C'est pas plus facile de traverser le pont pour sortir que pour rentrer. Il ne pleut plus. Le vent d'ouest souffle. La file de bagnoles est longue. Les contrôles de la police fédérale n'aident pas à fluidifier la circulation. La frégate *Libertad* n'est plus dans le bassin nord.

Ce n'est pas un pressentiment. C'est une information confuse ou incomplète. On remonte l'avenue Córdoba, on arrive rue Esmeralda et on revient par Santa Fe. Cúper est de bonne humeur. Je sais pas pourquoi. Mais ça rend les choses un peu plus légères. Il n'y a pas de place pour se garer, donc on se met d'accord pour qu'il aille faire un tour et qu'on se retrouve à l'angle de la rue Florida et du passage Rojas. Je descends de la caisse et Cúper repart. En été, quand le quartier est plein de touristes, les arbres de la place San Martín offrent une ombre agréable pour s'asseoir et regarder passer les filles.

C'est par Betina que j'ai eu l'info. Elle travaille avec la Mona Lisa au cimetière de la Recoleta, et c'est la copine de Tony. Lui, il mange les tomates dans la salade. N'oubliez pas ce détail parce qu'il a son importance : Tony et l'Ombú, c'était les gardes du corps du Pélican. Et puis ils l'ont trahi, ils ont foutu le camp et sont allés s'installer ailleurs. Betina a dit qu'ils avaient été engagés par un politicien. C'est un peu vague comme information, mais c'est déjà un indice. Le cadavre de l'Ombú est apparu devant chez moi. Puis j'ai retrouvé le cadavre du Pélican. Pas besoin d'être un génie pour comprendre qu'il s'agit d'un règlement de comptes. Les lois du business. Mais il y a encore un truc qui m'échappe. Il faut se creuser un peu les méninges. C'est pas en restant à la surface des choses qu'on découvre leur secret. Je garde ces idées pour plus tard et j'entre dans l'hôtel Plaza. La copine de Tony raconte que deux fois sur trois, quand il sort, c'est pour filer à l'hôtel où vit son chef. « Un hôtel super chic, dit Betina à Cúper, pas loin d'ici. »

Mais elle ne sait pas exactement où il est. Ni comment il s'appelle. Alors vu qu'on passe par Retiro en sortant de Puerto Apache, on commence par faire un saut au Plaza.

Je me rends vite compte que c'est pas le bon endroit.

Je me retrouve à nouveau dans la rue. Je marche un peu. J'attends à l'angle.

La Fiat de Cúper apparaît aussitôt. On continue. Le suivant est juste un peu plus loin.

Je regarde la Tour des Anglais. Elle a quelque chose, cette tour. Les Portègnes ne savent pas s'ils l'aiment ou s'ils la détestent. Ça change avec la météo.

Au Sheraton, c'est plus facile. Cúper peut m'attendre devant. L'hôtel est plus grand. Il y a un bâtiment ancien et un nouveau. Il y a des salles de réunion, des salles de spectacle, des restaurants, des bars. Beaucoup d'agitation. Ça serait pas un mauvais endroit. Mais non, c'est pas là. J'ai envie de me tirer sans rien demander. Mais je pose quand même la question.

Je remonte dans la bagnole.

« C'est pas ici », je dis à Cúper.

J'allume une cigarette. J'éteins la radio. Je prends ma tête entre mes mains. Cúper ne dit rien. Il est toujours de bonne humeur. Je crois que, lui aussi, il a compris deux ou trois choses. Peut-être qu'il ne sait pas quoi faire de sa vie, mais, en tout cas, il est en train de se libérer d'un fardeau. C'est une intuition qui me vient.

« Alors ? » il me demande, même s'il n'écoute pas ce que je réponds.

Il est prêt à me conduire n'importe où. J'ai l'impression que la seule chose qui compte, c'est que je ne lui pose pas de question. Comme s'il ne pensait rien de la situation. Ou comme si ses pensées étaient absorbées par autre chose.

« On va à l'Alvear », je lui dis.

On reprend l'avenue Libertador, puis la rue Figueroa Alcorta, et au rond-point de Pueyrredon, on s'engage sur l'avenue qui commence plus bas, en face du marché des artisans, et qui, deux cents mètres plus loin, va nous laisser devant la porte de notre troisième tentative.

Derrière la porte, on dirait une fête déguisée sans déguisements.

Le Sheraton, c'est un hôtel pour cadres supérieurs d'un autre monde.

Le Plaza aussi a échangé les dandys et les filles glamour contre les nouveaux arrivages de touristes friqués.

Mais l'Alvear, c'est autre chose. On dirait un palais avec des balustrades en or, des lustres en cristal et des escaliers en marbre. Un peu comme un bal masqué où les gens auraient oublié leur masque.

Un des réceptionnistes me dit qu'on n'a pas vu « monsieur » à l'hôtel depuis quelques jours. Je viens de lui demander si Monti était là. « Monsieur » Monti. C'est une manière de parler. Le type, un brin méprisant, me dit sans regarder l'écran de son ordinateur que « monsieur » est absent. Je lui demande jusqu'à quand. Le type bat des paupières. Comme une secrétaire agacée. Il me répond qu'il ne dispose pas de cette information. J'insiste. Il me dit de revenir la semaine prochaine. Il me tourne le dos et il fait semblant de consulter des documents posés un peu plus loin. Il tapote nerveusement son crayon. Il bouge la tête, il me regarde par-dessus son épaule et il rectifie :

« Revenez plutôt dans deux semaines. »

Je sais pas comment lui dire que j'ai d'autres chats à fouetter. J'ai pas de temps à perdre. J'ai des choses plus urgentes à régler dans ma vie. Heureusement pour lui. Sinon, je lui tordrais le cou et je lui dirais : « Je t'ai pas bien entendu, abruti. Répète un peu pour voir. » Il n'y a rien de meilleur que de voir virer au violet la face d'un snobinard qui te prend pour un con.

Mais il y a autre chose qui m'apparaît maintenant avec évidence.

Toti, Sosa, Puerto Apache.

Toti me l'a dit, la semaine dernière.

J'ai pas fait attention.

Maintenant, ça devient palpable, comme si d'un coup m'apparaissaient les viscères de l'humiliation, les entrailles de l'ennemi, la forme obscure de la défaite. C'est dans ces moments-là qu'on est prêt à capituler.

Je cours après une histoire que je ne comprends pas, ou sur laquelle j'ai toujours un train de retard. Un soir, je manque de crever à cause d'une erreur ou d'un excès de zèle des types qui sont venus me casser la gueule. Je suis allé voir le Pélican, Monti et Barragán en pensant qu'ils me livreraient leurs secrets, et ils m'ont raconté leur vie avant même que je pose la première question. Mon 38 toujours bien au chaud à la ceinture. Pour être honnête, je dois avouer que les deux ou trois fois où j'ai brandi un flingue ou un couteau, je me suis ravisé. À chaque fois. Ça veut pas dire que j'ai pas eu quelques surprises. C'est comme ça. Je cours après cette histoire, et quand j'arrive à rattraper le train, je me retrouve avec un cadavre sur les bras. C'est la règle du jeu. Et comme si ça ne suffisait pas, il a fallu que ça arrive une deuxième fois.

C'est pas difficile d'arriver à la conclusion que le type de la réception de l'Alvear est un incapable. Je décide de me calmer, je fais demi-tour et je traverse une enfilade de portes. Il y a des portes normales, qui s'ouvrent et se referment comme toutes les portes, et il y a des portes tournantes. Toutes en verre. En bois et en verre. Comme ça, on aperçoit la rue depuis l'intérieur. Et vice-versa. Je n'imaginais pas quelle serait la prochaine étape de cette recherche inutile. J'aurais juré que je le trouverais ici, le gros. Bon. Peut-être que je l'ai trouvé. Seulement, il n'est pas là.

Après tout, est-ce que j'ai pas trouvé l'Ombú et le Pélican ? Morts, mais je les ai trouvés.

C'est pour ça qu'en sortant, ça ne me surprend pas de me retrouver nez à nez avec le Loup. Il n'a même plus l'air d'un type avec une gueule de loup. Il a plutôt l'air d'un louveteau inoffensif.

Le Louveteau joue avec un cure-dents, comme s'il venait de mastiquer un peu de charogne et que des petits morceaux étaient restés coincés. C'est un des endroits les plus improbables pour qu'un demeuré comme lui se promène avec un cure-dents dans la bouche. Mais je préfère le croiser ici plutôt qu'au fond d'une impasse. Je remarque qu'il lui reste quelques marques sur le visage, à lui aussi. Je lui adresse pas la parole. Lui si. « Le secrétaire veut te parler », il me dit. Et il me fait un signe de la tête. « Au dernier étage, dans le *roof garden*. »

Évidemment, je me demande comment fait ce type pour retenir un mot pareil. À tous les coups, il ne l'a jamais vu écrit. À l'oreille ça donne : « rouf gardeune ». Peut-être qu'il ne sait même pas ce que ça veut dire. C'est le problème quand on s'incruste dans les soirées privées, on n'a pas toujours les codes.

Je suis le Louveteau dans un large couloir recouvert de tapis bleus. On croise des légions de serveurs et de réceptionnistes : des filles ravissantes en tailleur noir et des types engoncés dans des vestons rouges.

Dans le *roof garden*, les rayons du soleil couchant filtrent à travers la verrière et on aperçoit le ciel. Sur les tables il y a des nappes blanches, et de grandes fougères aux formes parfaites flottent dans les airs.

Un homme se lève lorsqu'il me voit arriver. Il porte une veste bleue, un pantalon gris, une chemise bleu clair et une cravate vert foncé qui ont l'air d'être fraîchement sortis de chez le teinturier. Je ne regarde pas ses pompes. Elles doivent être tellement bien lustrées que j'ai peur d'être aveuglé. L'homme me tend la main.

Maintenant, je voudrais bien savoir comment il s'appelle.

Mais il se présente comme ça :

« Je suis le secrétaire de monsieur Monti. »

Le Loup disparaît.

On s'assied. Je n'ai aucun doute. C'est le type qui accompagnait le gros plein de soupe au casino. Un peu plus tard, même si je m'en fous, je me demanderai ce qu'est devenue la nana qui se laissait tripoter par Monti à la table de baccarat. C'est sûr qu'elle, c'est pas son épouse, en tout cas.

Je demande juste un café.

Dans le *roof garden*, on ne fume pas.

Personne n'a besoin de me le dire. C'est évident. Ça me donne envie d'allumer une clope et de l'écraser sur la nappe pendant que quelqu'un me lit mes droits.

J'adorerais sentir l'odeur de la nappe brûlée de cette table du *roof garden* de l'Alvear.

Mais ça, c'est à cause du cinéma.

Je voudrais pas passer pour un envieux.

C'est fini*

MAINTENANT qu'il a terminé sa tasse de café, le secrétaire ne boit plus qu'un peu d'eau minérale. Il a un verre devant lui, qu'il porte lentement à ses lèvres de temps en temps. En fait, c'est un geste automatique. Pour se donner une contenance. Une façon de détourner mon attention pendant qu'il déblatère ses conneries avec une excellente maîtrise de la langue de bois.

Le secrétaire est un grand mince à la peau foncée, ses cheveux sont noirs, parsemés de quelques fils blancs. S'il n'était pas secrétaire, il pourrait être un flic véreux, un violeur ou l'amant sadique d'un homosexuel maso.

Il prend de la coke, le secrétaire. J'en mettrais ma main à couper.

Aux poignets de sa chemise, je remarque des boutons de manchette en satin, assortis à sa cravate. Parfois, on s'aperçoit qu'il y a un détail en trop. Le détail qui tue. Chez le secrétaire, ce détail, c'est les boutons de manchette.

Ce type soigne sa façon de parler. Avec une voix douce, posée, il m'explique les mutations du monde d'aujourd'hui qui font que les choses sont comme elles sont. Comme s'il parlait de politique. Je suppose que c'est pour ça que je me retrouve à écouter un discours que, tout d'abord, je ne comprends pas, et qu'à la fin je comprends trop bien.

Au début, on a l'impression que ce type parle de politique, d'économie, de la concentration des capitaux, de pertes et de gains, des mesures concrètes pour faire face à la situation actuelle. On a l'impression – rien qu'au début, entendons-nous bien – que le secrétaire parle des problèmes du pays. Par exemple, il dit qu'aujourd'hui plus que jamais, le petit commerce est menacé par l'hégémonie monopolistique, que la rentabilité des affaires est subordonnée à des mécanismes très complexes, que la sécurité ne doit pas être un problème mais la condition sine qua non au développement des opérations du marché. Et toute une brochette de formules plus ou moins dans ce goût-là.

J'ai envie de fumer une cigarette.

C'est pas possible.

Je commande un autre café.

Ce qui me plaît le plus, c'est la fille qui me le sert.

Elle a un sourire magnifique.

Je me demande jusqu'à quelle heure elle conserve ce sourire, derrière quelle porte, à quel moment précis son service se termine. Alors elle enlève ses chaussures, sa veste de tailleur noire, sa bouche se referme, ses dents disparaissent, le masque tombe. Et dans le premier miroir qu'elle croise, elle regarde son visage, ses cernes, ses traits tirés par la lassitude et la mauvaise humeur. Il y a des jobs inhumains. Comme faire semblant d'être qui on n'est pas, par exemple. Ou d'être ce que les autres voudraient qu'on soit. C'est presque la même chose.

À la fin, quand je termine mon café refroidi, je suis assommé par ce que me dit le secrétaire, et par son dernier geste. Je me lève de ma chaise et je m'en vais. Près de la porte, avant de sortir dans la rue, je vois le Louveteau avachi dans un fauteuil. Il y a de la rancœur dans ses yeux. C'est le sentiment le plus humain que j'arrive à imaginer chez un type comme ça.

Je rejoins Cúper à deux rues d'ici. Il m'attend sur Quintana, entre les rues Callao et Ayacucho. Il fait déjà nuit. Je jette mon mégot et j'allume une autre clope. Il m'a foutu les boules, ce connard de secrétaire. Ce type ne donne pas seulement l'impression de lire dans tes pensées, on dirait qu'il a accès au plus profond de toi, à ton secret le plus intime, celui qui te fait tellement honte que tu ne l'avoueras jamais à personne. Celui qui fait que tu ne te sens jamais loin du précipice.

La bagnole de Cúper sent encore le neuf. C'est une odeur très légère. À peine perceptible. Mais elle persiste. Je regarde Cúper, à côté de moi. Il se marre.

« Ça a duré plus longtemps que prévu, je lui dis.

– Motus, qu'il me dit. Motus et bouche cousue.

– Ce que tu peux être con.

– C'est pour ça qu'on est potes. »

Alors je lui raconte. Je lui explique que ce que le secrétaire a voulu me dire, c'est que le gros Monti et le gros Barragán ont décidé de mettre la main sur le business du Pélican. Monti a les moyens d'investir plus de fric, ou il sait où les trouver, et il est persuadé qu'il peut multiplier les ventes. Les faire exploser. C'est pour ça qu'il a débauché l'Ombú et Tony, c'est pour ça qu'ils ont détourné toute une série de cargaisons de coke dans le Nord, et que le Pélican s'est peu à peu retrouvé à court de fournisseurs, à court de fric, sur la paille. À la fin, le business du Pélican pouvait à peine concurrencer celui d'un dealer à la petite semaine.

Le type pose son verre sur la table après avoir bu une gorgée d'eau et me dit qu'au départ, l'idée n'était pas de se débarrasser du Pélican, mais de l'associer à cette entreprise, moyennant un pourcentage à sa mesure, calculé en fonction de ce qu'il pourrait encore apporter. Mais les choses se sont compliquées. « C'est à cause du Pélican que ça a mal tourné, me dit le secrétaire. Il avait trois problèmes : c'était un homme fou de jalousie, paranoïaque et dangereux. En affaires, on ne peut pas faire confiance à des gens déséquilibrés. »

Il parle du Pélican comme si c'était déjà de l'histoire ancienne.

« Regarde, je dis à Cúper. Il caressait ses boutons de manchette, comme ça. »

Je mime le geste.

Cúper comprend.

Le secrétaire dit qu'en faisant exécuter l'Ombú, le Pélican avait perdu toutes ses chances de rester dans le circuit. « Ce genre d'individu instable, prisonnier de ses émotions, ne peut pas avoir l'esprit clair ni garder son sang-froid. La plupart du temps, les grandes organisations sont dirigées par des hommes de l'ombre, qui savent rester invisibles. Ce n'était pas le cas de ce garçon. » Il m'avait déjà envoyé ses sbires, poursuit le type, « alors que ça n'avait aucun sens de s'en prendre à vous. Au contraire, vous étiez la mauvaise cible. » Par ailleurs, il y a quelque chose que j'ignorais : Sosa le Moustachu travaillait pour le Pélican. Ce dernier voulait mettre en place un réseau parallèle, dans les quartiers de la périphérie, et à Puerto Apache, c'est Sosa qui s'en occupait. Le Pélican l'a chargé de liquider l'Ombú, ce qu'a fait Sosa, avant de le déposer devant ma porte. Le message était double : pour Monti de la part du Pélican, et pour moi de la part de Sosa. Le nouveau patron de l'Ombú, à ce stade de l'histoire, était aussi le nouveau patron de Sosa. Sosa était passé au plus offrant, et c'est donc pour Monti qu'il continuait à développer ces activités parallèles. Monti n'a pas été pris par surprise. Il a sacrifié l'Ombú, et il a eu le prétexte qui lui manquait pour se débarrasser du Pélican. « Il y a autre chose que vous ignorez encore, me dit le secrétaire, c'est que le Pélican n'était pas seulement en train de perdre son commerce : il allait aussi perdre sa fiancée. » Marú – il n'a pas prononcé son nom – avait passé un accord avec Monti et elle était sur le point de larguer le Pélican, mais elle ne voulait pas qu'on le tue. « Pour ça, monsieur le député avait besoin d'un prétexte. Et ce pauvre idiot le lui a servi sur un plateau. La mort de l'Ombú a démontré une fois de plus que c'était un homme imprévisible, violent, nerveux. Un homme dangereux. Alors... » Le secrétaire se frotte légèrement les doigts, comme s'il cherchait à épousseter d'inexistantes particules de sucre. « Bon, en tout cas, on en a fini avec le Pélican. »

J'ai la nausée.

Il y a des choses qui ne passent pas.

Et je savais que je n'avais pas encore entendu le pire.

C'est pour ça que j'ai fait un mouvement, un premier geste, pour faire comprendre au secrétaire de Walter Monti que ça allait, j'en avais assez entendu pour aujourd'hui, merci beaucoup, mec, à une prochaine. Ou pas. C'est pareil. Je m'en vais.

À ce moment-là, le type m'a arrêté.

Et j'ai pris conscience que je devais me préparer à recevoir le coup de grâce en pleine face, comme une douche froide. Le fond de la vérité, celle qui fait mal. Celle qu'on aurait préféré ne jamais découvrir.

C'est à ce moment-là que le secrétaire m'a dit que monsieur Monti ne voyait pas en moi un obstacle, « je suppose que vous me comprenez », il a dit, et il a ajouté qu'il était à l'étranger, « avec madame, évidemment ». Ensuite, comme s'il parlait de politique, il a dit que le changement de direction avait déjà eu lieu, que Barragán s'était rendu dans le Nord et avait organisé une réunion avec les partenaires étrangers afin de fixer les prix et les livraisons pour les mois à venir.

« En plus, il m'a dit, j'ai quelque chose pour vous. Madame m'a demandé de vous remettre ceci. »

Je crois que j'avais fermé les yeux sans m'en rendre compte. Le secrétaire a sorti une enveloppe de sa veste bleue et me l'a tendue.

Je ne l'ai pas prise immédiatement.

Puis j'ai pensé que je ne devais pas la laisser là.

C'était un dimanche soir étrange et paisible, dans le *roof garden* de l'Alvear. Dehors, Puerto Apache, les nanas qui font le trottoir, les morts, tout ça semblait lointain. Une des serveuses me regardait avec insistance depuis son poste d'un côté du salon. Elle portait un tailleur noir, mais elle ne ressemblait pas aux autres serveuses. À quoi est-ce qu'elle pouvait bien penser ? Encore une fille qui n'était pas ce qu'elle donnait à voir, comme toutes les autres.

« Madame ? » je lui ai demandé.

Oui, bien sûr. Madame et monsieur s'étaient mariés au Mexique.

« Il y a deux jours, m'a dit le secrétaire de Monti le gros plein de soupe. Vendredi, pour être exact. »

Je me lève de table et je m'en vais.

Je sors de l'hôtel.

J'allume une cigarette. Je rejoins Cúper à deux rues d'ici, sur Quintana, entre les rues Callao et Ayacucho. Alors, je raconte lui tout. Sauf pour l'enveloppe.

Traverser les barrages de police, c'est comme passer d'un monde à un autre en sachant que de chaque côté, les problèmes t'attendent. À l'entrée de Puerto Apache, la garde est renforcée. Plus d'hommes, plus de barres de fer, de pierres, de cagoules, de colère et de feu. Pas loin d'ici, noirci par la fumée et à moitié arraché par le vent, on peut encore lire le panneau qu'on a installé au début de l'année :

Nous sommes un problème du XXIe siècle.

Cúper ne veut pas penser à la Mona Lisa. Non seulement il a disparu avec la caisse tout l'après-midi, mais en plus il doit lui annoncer qu'il n'ira pas travailler avec elle et son neveu au cimetière. La totale... « Elle va piquer sa crise, elle part au quart de tour, y'a des jours où j'ai envie de lui en coller une, dit Cúper. Des fois, elle me fait de la peine. Elle est un peu folle, la Mona, tu sais. »

Oui, je sais.

Cúper me dépose en face de chez moi. Évidemment, les lumières sont éteintes. Avant de rentrer, je sors mon portable et j'appelle Toti. Je marche jusqu'au coin de la rue et je reviens. Il met du temps à répondre. Mais il décroche : « Ah, c'est toi. Enfin ! Je retrouvais plus ce foutu téléphone au fond de mon sac... Comment tu vas ? »

Je rigole. Toti me fait rigoler. Tout va toujours bien pour lui, là-bas, à Nuñez, avec son ami. « Je suis content », qu'il me dit. Enfin une bonne nouvelle.

Chez Toti aussi, tout est éteint. Au coin de la rue, deux mecs fument. J'ai envie d'un petit remontant, un truc qui me donne un coup de fouet, parce que j'ai les neurones tout engourdis. Alors, je me dirige machinalement vers le bar de López.

Anchorena et Filet Mignon font leur numéro à Julian, l'as du pare-brise, et à son pote originaire de Jujuy qui bosse dans l'entretien des routes. Ils viennent de les baptiser Ju & Ju. Deux blancs-becs qui pensent qu'au *truco*, c'est celui qui a les meilleures cartes qui gagne.

Je demande à López un gin tonic, moitié gin, moitié tonic.

Puis je m'assieds avec Morales et d'autres gars qui suivent tour à tour la deuxième partie de Ju & Ju contre les deux anciens, la mésaventure du jour qui a surpris tout le monde et le journal télé d'une chaîne du câble.

Je vois apparaître à l'écran un groupe de manifestants qui demandent l'éradication de Puerto Apache. Ils ne sont pas nombreux. Pas plus de cent cinquante. Mais ils se sont rassemblés dans un concert de casseroles devant le barrage de flics qui contrôlent l'accès à l'avenue Costanera par Belgrano et ils font un bordel monstre. Les journalistes sont là, devant une centaine de types qu'on a fait venir des bidonvilles contre un petit billet, pour jouer aux écolos. Un gros avec une gamine dans les bras se présente comme Jaime, trente-cinq ans, habitant du quartier de Lugano, marié et père de deux enfants. Il dit que la Réserve est à tout le monde, qu'avant il venait souvent se balader par ici avec sa famille, que c'est une honte, que maintenant les squatteurs sont de plus en plus nombreux et qu'ils vont finir par occuper toute la Réserve. La gamine pleurniche dans ses bras, donne des coups de pied et essuie sa morve comme elle peut, mais le gros est ailleurs : évidemment, il passe à la télé.

Le programme fait une courte pause. Garmendia tripote ses

dents branlantes et frotte ses yeux fatigués. Dans un registre que la grosse Susana a rapporté de l'hôpital Borda, il écrit les nouvelles mesures de sécurité que le Tordu et lui ont négociées avec Sosa le Moustachu et Madame Jeanne : la politique de résistance et d'approvisionnement, la défense, la sécurité, la représentation de Puerto Apache devant les autorités et la presse. « C'est moi, dit Garmendia, qui suis chargé de rédiger les accords adoptés, à la virgule près. » Il parle comme un vieux livre, Garmendia. Ça me démange de lui dire de pas être aussi ridicule. Mais on se rend vite compte qu'il n'y est pour rien. Qu'à Puerto Apache, les gens ne savent pas quoi faire. Que même si le Tordu a parfois quelques bonnes idées, il n'a pas l'étoffe d'un chef pour autant. C'est pour ça que les gens regrettent mon vieux : lui, il savait comment gérer ce genre de situation, on entend dire partout. Trop tard, je me dis. Ce qui est fait est fait. À quoi bon ressasser le passé ?

Grâce à cinq points de relance, ajoutés aux deux points de mise initiale, Ju & Ju remportent la main et mènent le jeu. C'est le genre de triomphe passager qui empêche les imbéciles de voir plus loin que le bout de leur nez. Avec Anchorena et Filet Mignon, on ne marque pas cinq points en une seule main si facilement. Maintenant, les petits gars font les malins, ils baissent la garde, et les deux anciens remontent peu à peu, presque toujours avec des mauvais jeux, et quand les autres commenceront à s'inquiéter, puis à s'engueuler, poussés dans leurs retranchements, les anciens vont renchérir et les achever avec la plus grosse annonce, quelles que soient les cartes qu'ils ont entre les mains.

Alors, le Moustachu apparaît à l'écran.

J'en reviens pas.

Je pense que je suis pas le seul parce qu'un silence s'abat, et les paroles de Sosa nous tombent dessus par surprise, comme la déclaration d'un coup d'État.

« On appelle cet endroit Puerto Apache, comme si on était des sauvages. On prétend que nous occupons un quart de la Réserve.

On nous traite de squatteurs et de vautours. C'est inadmissible !
Je dirais même plus : c'est de la provocation ! Les gens qui vivent
ici sont des personnes honnêtes, dit Sosa, et nous ne pouvons
pas accepter qu'on fasse de la politique avec un problème social,
nous ne pouvons pas accepter de nous faire traiter comme des
délinquants. Quoi qu'on en dise, nous sommes installés sur
à peine un dixième de la Réserve, et nous pouvons le prouver.
Tout peut se prouver, monsieur le journaliste. Je vous invite à
venir avec moi et à parcourir notre quartier, les maisons que
nous avons construites à la sueur de notre front et sans l'aide de
personne. Et vous verrez, et tout le pays verra que nous vivons
dans un quartier modèle, propre, sûr et décent. Nous sommes
prêts à dialoguer avec les personnes compétentes, dit Sosa. Pas
avec les forces de l'ordre. La police a sa mission à remplir, et nous
devons la respecter. Mais ce n'est pas avec un commissaire que
nous allons nous asseoir à la table des négociations. »
     En d'autres termes, Sosa le Moustachu dit que c'est avec lui
qu'il faudra négocier.
     Je sais pas si tu as pigé.
     Peut-être pas, parce qu'après avoir écouté ce que raconte le
Moustachu à la télé sur Puerto Apache, on sait plus qui on est,
ni où on habite.
     On m'apprend que ces déclarations, Sosa les a faites une heure
avant l'autre événement marquant de la journée.
     Je regarde son t-shirt, son gilet en cuir sans manches, ses
grosses moustaches.
     Derrière Sosa et les journalistes, les prétendus écologistes
remettent leurs bandeaux sur leurs fronts et brandissent à nouveau leurs pancartes. La police fédérale ferme le barrage. Au fond,
Puerto Madero somnole en ce dimanche d'automne, comme si
l'orage de ce matin lui avait laissé une terrible gueule de bois.
     Il suffit d'un moment d'inattention, et la vie continue sans
nous.
     L'autre événement du jour me cloue sur ma chaise.

L'ascension du Moustachu est effarante. Mais c'était joué d'avance. Alors que ce qui s'est passé aujourd'hui, personne ne s'y attendait.

Je me rappelle qu'en rentrant de chez le Pélican, vers midi, j'ai demandé où était Guada. Et personne n'en savait rien. Alors, je me suis dit qu'elle devait encore dormir. Il était encore tôt.

Tout allait se passer un peu plus tard : à ce moment-là, Cúper et moi, on faisait le tour des hôtels. Pendant qu'on avance dans une direction, la vie continue dans une autre.

Mais le plus impressionnant, c'est ce que raconte Rosa :

« J'avais jamais rien vu de pareil. Y'avait du sang partout. »

Le Tordu dit que le sol de la chambre était entièrement recouvert de sang.

« Oui, ajoute Garmendia, c'était comme une mare de sang qui allait d'un mur à l'autre. Et cette odeur... On aurait dit... »

Garmendia se tait. Et personne ne trouve les mots pour décrire l'odeur de la mort. Alors Rosa répète :

« J'avais encore jamais vu ça, du sang partout. »

Le mort, c'est la Chochotte. Tu te rappelles ? Le demeuré qui s'est cassé la main dans le hangar, quand il m'a envoyé une mandale.

Je savais pas ce qu'il était devenu. Je me suis même dit qu'il s'était fait virer. Dans ce métier, on peut pas se payer le luxe de se casser les os chaque fois qu'on lève la main sur quelqu'un. Mais non. La moto de Rocha est restée devant la porte. Parce qu'il paraît qu'il s'appelait Rocha, et qu'il bossait pour Sosa le Moustachu. Aujourd'hui, ils travaillent tous pour le Moustachu : Tony, le Nabot, le Louveteau, les deux motards qui l'accompagnaient l'autre soir. Pour Sosa, pour Barragán, pour Monti...

Bon. Cet après-midi, Rocha réapparaît. Voilà comment les choses se seraient passées : la grosse Susana raconte qu'une de ses cousines lui a dit que Madame Jeanne voulait une danseuse pour monter un show à l'hôtel de La Lagune rouge. Elle aurait dit à Sosa qu'elle pensait à Guada. Sosa y a réfléchi, et l'idée lui a plu. Alors, cet après-midi, il a envoyé Rocha chercher Guada parce qu'il voulait lui parler. Et Rocha y est allé. Il a laissé sa moto devant la porte, il a frappé, Isa lui a ouvert et il est entré. Il paraît que quand il a vu Guada qui venait de se réveiller, il a perdu les pédales et lui a sauté dessus. Il a commencé à la peloter, il lui a dit qu'elle devait l'accompagner, que Sosa avait une proposition à lui faire, mais qu'avant ça il fallait qu'elle soit gentille avec lui. Alors Isa s'est interposée, elle a voulu le foutre dehors mais il lui a en collé une du revers de son plâtre et il l'a fait sortir de la pièce.

Personne ne sait d'où elle sortait ce poignard.

Mais quand Rocha s'est de nouveau approché d'elle et s'est remis à la tripoter, elle lui a donné un coup dans l'artère fémorale et le type s'est vidé de son sang. Il paraît qu'après ça, elle lui a donné deux ou trois autres coups, dans le ventre cette fois. Mais c'est le premier qui l'a tué. Et il est resté étendu là, baignant dans son sang.

On n'a aucune nouvelle de Guada ni d'Isa.

Je dis que les choses se sont passées comme ça parce que c'est comme ça qu'on me les a racontées. Une fille de La Lagune rouge a dit à la cousine de la grosse Susana ce qu'elle avait appris d'une autre nana de l'hôtel qui connaissait Rocha de vue. Mais personne ne sait où est la grosse Susana. Ni sa cousine. C'est dommage, parce que même si la nana de l'hôtel a parlé avec la cousine, et la cousine avec Susana, elle n'a pas pu lui raconter un truc qu'elle n'a ni vu ni entendu. C'est pour ça qu'on suppose que la grosse Susana a vu Guada et sa mère, ou au moins qu'elle a parlé avec une des deux.

En tout cas, Guada a disparu de Puerto Apache.

J'ouvre le deuxième paquet de cigarettes que j'ai acheté ce matin, et je m'en grille une.

Il faut faire attention aux animaux blessés.

Il y a une phrase qui dit qu'on ne peut pas rester là où nos amis ne peuvent plus vivre. Elle est pas de l'Indien Solari[1]. Elle est de moi. Mais c'est la vérité.

En rentrant chez moi, j'essaie de remettre de l'ordre dans mes idées. Je comprends pas très bien ce qui se passe. Ou j'ai pas très envie de comprendre. J'ai un pressentiment : un fourmillement dans tout le corps qui me donne la certitude que le moment est venu, que c'est maintenant, que le temps presse. Il faut sauter, quitter le navire. Comme les rats, les désespérés, ceux qui veulent survivre. Je sais pas quoi faire. Mais je sais que je dois mettre les voiles.

Le fauteuil en osier, à côté de la porte, est toujours à sa place.

Les lumières sont éteintes.

Je pense à Jenifer.

Je pense à Julieta et à Ramiro.

Demain ou après-demain, je vais leur écrire une lettre.

Il faut bien commencer par quelque chose.

Je vois un mec, au coin de la rue, qui fume une clope.

Quand j'ouvre la porte, je me rends compte que ce mec n'est pas en train de fumer une clope. J'entends un sifflement et je comprends que c'est un piège. Je m'arrête. Je scrute l'obscurité. J'ouvre mes oreilles. Je renifle l'air. Je sens mon cœur qui s'accélère. Avec ma main droite, je cherche mon 38, coincé dans mon dos, à ma ceinture. De toute manière, je sais qu'avec la clarté de la nuit, je suis une cible facile pour un tireur qui me verrait depuis l'intérieur de la maison. Ma main empoigne le revolver. Rien ne bouge. S'il y a quelqu'un chez moi, il n'est pas dans la pièce principale, qui fait à la fois cuisine, salon et salle à manger. Alors je rentre, je me colle au mur, j'attends que mes yeux s'habituent à l'obscurité. Il n'y a pas un bruit. Ni dedans, ni dehors. Mais c'est un piège.

Les choses se précisent quand je veux entrer dans la chambre. Je pousse la porte de la pointe de ma chaussure. J'attends. Et

---

1. Carlos Alberto Solari, dit « L'Indien » : icône du rock argentin, chanteur d'un célèbre groupe de rock des années 1970.

j'ai à peine mis un pied à l'intérieur qu'un type se rue sur moi. C'est un roc. Un fou furieux qui me roue de coups comme si j'étais un punching ball. Par chance, il fait noir et la plupart des coups ne m'atteignent pas. Quand il me frappe au ventre, j'ai le souffle coupé. Je sais pas comment, mais je me retrouve derrière lui et j'enserre son cou de mes deux bras. J'essaie un peu de l'étrangler en attendant de retrouver mon souffle. J'ai mon poing droit contre l'oreille gauche du type, et je lui fais sentir mon 38. Il manifeste un premier signe de peur. Une sueur tiède lui couvre le visage. Mais il tient bon. C'est comme tenir un bloc de pierre dans ses bras. Si je le laisse réagir, je suis foutu. Je tente le tout pour le tout. Je le libère d'un coup, je le pousse, et au moment où il bascule, je lui flanque un coup de crosse dans la nuque, de toutes mes forces.

Le coup du lapin.

L'homme de pierre gémit.

Il s'écroule.

Alors, une avalanche de coups de pied s'abat sur lui. Il en prend certains dans les côtes, d'autres dans le dos. Il se met en boule et il roule par terre. Il s'arrête un peu plus loin, au pied du mur où Jenifer avait accroché la photo de sa mère. Et là, c'est moi qui me jette sur lui. Il n'a pas eu le temps de récupérer et il ne s'y attend pas. Je fonce la tête la première sur sa poitrine. Le choc est violent. La cloison en bois n'est pas très épaisse et elle vole en éclats. Je tombe sur l'homme de pierre. Et je lui flanque plusieurs allers-retours, mon revolver au poing. Il y a du sang qui gicle. Je crois que je lui ai un peu éclaté la bouche ou le nez. Je suis pas sûr.

Maintenant, c'est moi qui ai la vie d'un mec entre mes mains.

J'allume la lumière. Dans l'arrière-cour, le type est étendu comme une loque au milieu des débris de la cloison en bois. C'est Tony.

Pour accompagner les barbecues du dimanche midi avec le Pélican et l'Ombú, il y avait de la salade avec des tomates et des oignons. Tony mangeait la tomate. Pas l'Ombú.

C'est le moment de régler nos petites affaires.

« La dernière transaction, je lui dis, celle où il manquait de la thune... »

Tony continue à se protéger la tête avec ses bras et il me fixe avec le regard affolé d'un taureau qui sent la mort approcher.

« Oui », qu'il me dit.

Je sais pas pourquoi. Je suppose qu'il veut me dire qu'il comprend de quoi je veux parler. Mon 38 est braqué sur lui.

« Ceux qui étaient chargés de récupérer le fric de Monti, c'était Marú et toi.

– Oui. »

Maintenant, je trouve sa réponse plus logique.

« Mais ce fric, vous en avez jamais vu la couleur, je lui dis.

– Non. »

Ce qu'il faut comprendre, c'est qu'il n'a jamais manqué de fric dans aucune transaction. Pour savoir ce qui se passait, il fallait déjà être de l'autre côté de l'histoire. C'était pas mon cas.

« Tu bossais déjà pour Monti, je lui dis.

– Oui. »

Je vais pas le tuer.

Je lui demanderai pas non plus si Marú aussi, elle bossait déjà pour Monti. Ou si elle couchait déjà avec lui. Même si j'en meurs d'envie, je lui ferai pas ce plaisir.

« Va te faire foutre.

– Oui.

– Casse-toi. Disparais. »

Il se traîne par terre. Il sort par la porte du fond et il disparaît hors de ma vue.

J'allume d'autres lumières.

Dans la penderie, dans la commode, dans les meubles de la chambre que Jenifer a achetés un jour au supermarché, Tony a caché plusieurs sachets de coke. Dans la chambre des gosses aussi.

Si les flics rappliquent maintenant, je vais tout droit en taule. Ils vont pas me demander qui je suis, ce que je fais ni quand j'ai l'intention de mourir. Ils vont directement enterrer ma carcasse dans la cellule la plus sombre et la plus isolée. Il y a des gens qui sortent de prison avant même d'y entrer. Et d'autres qui y moisissent toute leur vie. Ce sont des choses qui arrivent. Tout dépend de ceux qui ont intérêt à t'en voir sortir. Ou pas.

Je m'assieds sur une chaise et j'allume une cigarette. C'est à cette place que j'étais assis quand les mecs de l'Ombú sont venus me chercher. Je me rappelle que je regardais le but qu'avait marqué Verón la Petite Sorcière et que la Lazio menait 3 à 0.

J'écoute une dernière fois un CD de Gilda.

Dis-moi ce qui n'va pas,
mon amour, toi, mon âme sœur,
Dis-moi ce qui n'va pas,
je n'veux que ton bonheur.

Raconte-moi :
dis-moi ce qui ne va pas.
Faut qu' je sache :
le secret que tu me caches.

Comme je l'ai déjà raconté, j'ai gardé une culotte blanche de Marú, d'un voyage à Bariloche qu'on avait fait il y a quatre ans. De temps en temps, j'aimais bien la toucher, la sentir, respirer le parfum du sexe de Marú. Maintenant, il y a de la coke plein la culotte. Il y a des buvards dans le t-shirt qu'elle m'a rapporté de Miami, dans les deux ou trois chemises qui me restent, dans les poches de la veste bleue que j'ai portée l'autre jour à l'enterrement...

Du coup, j'ai plus envie de récupérer quoi que ce soit.

Rien.

J'ai plus envie de rien.

Je regarde l'heure.

Le compte à rebours a commencé.

Chaque minute qui passe me rapproche du moment précis où la police fédérale va faire irruption chez moi comme si une douzaine de mecs armés jusqu'aux dents étaient planqués là.

Avant de partir, j'ouvre l'enveloppe que m'a laissée le secrétaire de la part de madame. Du fric, bien sûr. Des dollars. Des billets neufs. Des billets de cent. Deux petites liasses impeccables entourées de leurs bandes de papier marquées du tampon de la banque.

Il n'y a pas dix mille dollars.

Il y a plus.

J'écrase ma cigarette par terre. Je me lève. Je range l'enveloppe. Je remets mon 38 dans ma ceinture. Je me regarde dans le miroir de l'armoire à pharmacie. Par chance, Tony n'a pas réussi à me blesser au visage. Je suis presque guéri. Je vais bientôt avoir trente ans, je me dis. La vie passe. Trop vite.

Alors, je m'en vais.

Je n'emporte rien.

Je marche vers la sortie.

L'odeur légère de la lagune flotte dans l'air. La nuit est claire. Après l'orage de ce matin, le ciel s'est dégagé peu à peu, et maintenant, la lueur d'une grosse lune jaune découpe à l'horizon le profil bas de Puerto Apache. Les gars qui montent la garde à l'entrée m'ouvrent la grille, et je m'engage sur l'avenue Costanera d'un pas décidé. Je vais traverser le pont qui sépare le quai n° 4 du bassin nord, comme d'habitude. Je vais passer le barrage de police. Je vais entrer dans la ville, un dimanche soir, sans savoir où aller.

À un moment ou à un autre, je vais sûrement avoir la dalle.

Alors, j'entends que derrière moi, les gars rouvrent la grille. Je me retourne. Et je vois Cúper qui arrive en courant. « Attends-moi », qu'il dit. Il me rejoint. Non seulement il n'ira pas bosser au cimetière, mais il n'ira pas non plus livrer les légumes de Casse Bonbons. « C'est pas demain la veille, qu'il dit. J'aurais plus vite fait de me dégoter une nana de bonne famille. » Une de ces filles des bars de l'avenue Corrientes qui lui font tourner la tête.

On part ensemble.

On traverse le pont. On longe la rue Leandro Alem en direction de la place San Martín. Il fait un peu froid.

« Qu'est-ce qui s'est passé ? » me demande Cúper.

Il aime bien quand je lui raconte des histoires.

La playlist qui figure sur le rabat de fin
accompagne et prolonge votre lecture.
Les morceaux ont été sélectionnés
par l'auteur et les traductrices.

Cette playlist est également en écoute sur
le site de la maison : www.asphalte-editions.com

Fictions Asphalte

Kiko Amat » *Tout ce qui fait BOUM*
Roberto Arlt » *Eaux-fortes de Buenos Aires*
Edyr Augusto » *Belém*
Edyr Augusto » *Moscow*
Edyr Augusto » *Nid de vipères*
Leandro Ávalos Blacha » *Berazachussetts*
Leandro Ávalos Blacha » *Côté cour*
Félix Bruzzone » *Les Taupes*
Félix Bruzzone » *Solarium*
Elisabetta Bucciarelli » *Corps à l'écart*
Arthur Dapieve » *Black Music*
Timothée Demeillers » *Prague, faubourgs est*
Malcolm Knox » *Shangrila*
Chart Korbjitti » *Chiens fous*
Nathan Larson » *Le Système D*
Tom Liehr » *À contresens*
Paulo Lins » *Depuis que la samba est samba*
Dustin Long » *Icelander*
Lorenzo Lunar » *La vie est un tango*
Lorenzo Lunar » *Coupable vous êtes*
Aníbal Malvar » *La Ballade des misérables*
Juan Martini » *Puerto Apache*
Patrick McCabe » *Breakfast on Pluto*
Richard Milward » *Pommes*
Richard Milward » *Block party*
Martín Mucha » *Tes yeux dans une ville grise*
Mudrooroo » *Chat sauvage en chute libre*

Leonardo Oyola » *Golgotha*
Leonardo Oyola » *Chamamé*
Tommaso Pincio » *Cinacittà*
Tommaso Pincio » *Les Fleurs du karma*
Boris Quercia » *Les Rues de Santiago*
Boris Quercia » *Tant de chiens* (novembre 2015)
Guillermo Saccomanno » *L'Employé*
Guillermo Saccomanno » *Basse Saison*
Emily Schultz » *Les Blondes*
Antônio Xerxenesky » *Avaler du sable*
Carlos Zanón » *Soudain trop tard*
Carlos Zanón » *N'appelle pas à la maison*

© Asphalte éditions, 2015
Tous droits réservés

ISBN : 978-2-918767-54-1

Achevé d'imprimer en Bulgarie, en août 2015, par Pulsio.

Dépôt légal : octobre 2015